2023
写真で見るニュース解説

原爆慰霊碑に献花し記念撮影にのぞむG7首脳たち。

G7 広島サミット

会談を前に握手するウクライナのウォロディミル・ゼレンスキー大統領（左）と岸田文雄首相（5月21日、広島市中区の広島国際会議場［代表撮影］）。

献花するゼレンスキー大統領と岸田首相［提供：外務省］。

　2023年5月19日〜21日に開催された主要国首脳会議「G7広島サミット」。ロシアのウクライナ侵攻に終わりがみえず、世界が核兵器使用の不安にさらされるなか、被爆地である広島で開催されたことは、国際社会への強いメッセージの発信となった。史上初めてG7首脳がそろって広島平和記念資料館を見学し、原爆慰霊碑に献花した。開催2日目には招待国として韓国、オーストラリア、インド、ブラジル、アフリカ連合（AU）、インドネシアなど近年国力をつけてきたグローバルサウスと呼ばれる国々、さらに国連やIMF（国際通貨基金）といった国際機関の代表らも参加して拡大会合が行われた。ウクライナのゼレンスキー大統領が2日目に急きょ来日するというサプライズもあった。

▶詳しいニュース解説は 22〜25 ページ

小型月着陸実証機「SLIM（スリム）」などを搭載し、打ち上げられたH2Aロケット47号機（9月7日、鹿児島県・種子島宇宙センター）。

日本と世界の宇宙開発

宇宙飛行士候補の米田あゆさん（左）と諏訪理さん（2月28日東京都千代田区 AFP＝時事）。

世界で初めて月の南極に着陸したインド宇宙研究機関（ISRO）の無人月面探査機「チャンドラヤーン3号」。チャンドラヤーンは「月の乗り物」を意味する（8月23日、AFP＝時事）。

フロリダ州のNASAケネディ宇宙センターで、SpaceX社の「クルードラゴン」に搭乗する古川聡宇宙飛行士（右端）ら（8月26日、AFP＝時事）。

小惑星「リュウグウ」のサンプル（容器中央の黒い物質）。

　小惑星「リュウグウ」のサンプルから、生命の起源解明につながる可能性のあるタンパク質を構成するアミノ酸23種類と水が発見されるなど、大きな成果を持ち帰った小惑星探査機「はやぶさ2」の活躍をはじめ、盛んに宇宙事業に参画している日本。NASAの月面開発プロジェクト「アルテミス計画」で利用する月面探査機を搭載したH2Aロケットの打ち上げが9月に成功した。

　世界では中国に続いてインドも宇宙事業に高い技術力を発揮。2023年8月には月へ無人探査機「チャンドラヤーン3号」を打ち上げ、世界4か国目となる月面着陸を成功させている。今年に入り、日本やロシアの月面探査機の着陸が相次いで失敗するなか、特に太陽光の当たらない月の南極近くへの着陸を成功させた技術に、世界中が驚きと称賛を送っている。世界各国が互いに技術を高め合いながら、ともに宇宙開発を進めていくことが期待される。

▶詳しいニュース解説は 56～61 ページ

関東大地震発生直後、揺れと火災であらゆるものが壊れた東京の街並み。

1923（大正12）年9月1日、午前11時58分に発生した関東大地震。2023年はこの大地震によって起こった関東大震災からちょうど100年目にあたる。1960年よりこの9月1日を「防災の日」、この日を含む1週間を「防災週間」と定めた。

関東大震災から100年

震災の直前の4月まで当時の東京市長を務めていた後藤新平。大震災後の首都復興の中心人物となって指揮をとった。

東日本大震災から10年目の2021年に全線開通した三陸沿岸道路。八戸から仙台まで、三陸地方の沿岸部を結ぶ359kmの「復興道路」が一本につながった。写真は開通した「気仙沼湾横断橋」（2021年3月、宮城県気仙沼市）。

2016（平成28）年4月に起きた熊本地震は最大震度7の地震が連続するという、観測史上初めての地震だった。大きな被害を受けた熊本城は、2023年現在約2割の復旧が完了している（3月、熊本市中央区）。

▶詳しいニュース解説は 18〜21 ページ

生物多様性とわたしたちの生活

展示されているミシシッピアカミミガメとアメリカザリガニ（鳥取市とっとり賀露かにっこ館、朝日新聞社 / 時事通信フォト）。

　地球上には、約175万種の生物がおり、まだ知られていないものを含めると500万〜3,000万種におよぶと考えられている。世界各地で新種の生物発見のニュースが報じられることも少なくない一方で、生物の絶滅も進んでいるといわれる。日本でも外国から持ち込まれたアライグマやヌートリアの生息が報じられているが、外来生物は日本の固有種を捕食し、生態系に影響をおよぼすことから、国の対策が急がれている。写真のミシシッピアカミミガメをはじめとした、アカミミガメ、アメリカザリガニは2023年6月1日に、野外への放出、輸入、販売、購入は禁止だが、ペットとしては手続きなしで飼育できる「条件付特定外来生物」に指定された。

▶詳しいニュース解説は 12〜13 ページ

風と潮流に乗って海岸に到達したプラスチックとマイクロプラスチック（スペイン・カナリア諸島、BIOSPHOTO/ 時事通信フォト）。

地球環境問題

地球温暖化は南極大陸の環境も変える。生物多様性が失われる危険性をはらんでいる。写真は南極の海氷域の急激な減少で、繁殖地が失われているコウテイペンギン（Avalon/ 時事通信フォト）。

　二酸化炭素（CO_2）などの「温室効果ガス」（GHG）が大気中に放出されることで起きるといわれている「地球温暖化」。国連のグテーレス事務総長が「地球沸騰化の時代がきた」と宣言するほど深刻さを増している。また、海で増え続けるマイクロプラスチックは、海の生き物たちへの影響から、わたしたちの食卓にも影響を与えている。地球環境問題はわたしたちの身近な問題だ。

▶詳しいニュース解説は 16〜17 ページ

柳津西山地熱発電所（福島県河沼郡柳津町、時事通信フォト）。

日本が
目指す
脱炭素社会

JERA が姉崎火力発電所に導入した最新鋭発電設備のタービン発電機。姉崎火力発電所では、熱効率がよく CO_2 の排出を少なくする取り組みが進められている（千葉県市原市）。

オトンルイ風力発電所（北海道天塩郡幌延町、時事通信フォト）。

海岸沿いに設置されているソーラーパネル（福島県南相馬市）。

くるくるエコプロジェクトの水車、コヲミ平ミニ水力発電所（長野県大町市、時事通信フォト）。

　世界の国々が二酸化炭素などの温室効果ガス（GHG）を減らすための対策と目標を掲げるなか、2050 年までに GHG の実質排出を国全体としてゼロにする、カーボンニュートラルの実現を宣言している日本。もともとエネルギー自給率が低く、主要エネルギーのほとんどを輸入に頼る日本では、国際情勢に左右されない安定したエネルギー供給のために、水素エネルギーやアンモニア燃料、植物を原料とするバイオ燃料などの新しい技術開発が急ピッチで進められている。

▶詳しいニュース解説は 32〜33 ページ

富雄丸山古墳で出土した盾形の銅鏡（1月20日、奈良県橿原市）。

吉野ヶ里遺跡で石のふたを取った後の石棺墓（6月5日、佐賀県吉野ヶ里町）。

遺跡から新事実発見

・富雄丸山古墳から銅鏡と剣が出土

奈良市西部にある4世紀後半につくられたとされる富雄丸山古墳から、前例のない盾の形をした銅鏡と、蛇のように曲がりくねった2mを超える剣が出土し、いずれも国宝級の発見であることが6月27日に発表された。現代でも作るのが難しいといわれる、2mを超える蛇行剣の発見は、4世紀の奈良に高い技術があったことを物語っている。ヤマト王権とのかかわりなども含めて、今後のさらなる研究が期待されている。

・吉野ヶ里遺跡で見つかった「石棺墓」

2023年4月、弥生時代に築かれた国内最大規模の集落跡である吉野ヶ里遺跡で、長い間「謎のエリア」とされてきた場所から石棺墓が発見された。同時代の有力者が用いたと伝わる赤色の顔料が石棺内に塗られており、「邪馬台国の時代の有力者の墓」であると認定された。石棺墓は長さ192cm、幅35cm。墓を覆う4枚の石蓋の内側には、×（バツ）のような線が数多く刻まれていた。

▶詳しいニュース解説は 50〜53 ページ

統一地方選挙

統一地方選挙が2023年4月に実施された。与党の自民党は前回の1,158議席から1,153議席と若干減らしたものの、41道府県中24県で定数の過半数を獲得。日本維新の会の躍進が目立ち、124議席を獲得、選挙前の57議席から倍以上となった。

大阪府と大阪市の首長同時選挙では、ともに維新が擁立した現職の吉村洋文氏（右）と、新人の横山英幸氏がダブルで当選した。

▶詳しいニュース解説は 26〜27 ページ

日本の島が14,125に

日本の国家地図作成機関である国土地理院は、これまで日本の島の数を6,852島と公表していたが、2023年にこれを改め、14,125島と発表。およそ2倍に増えたことになる。

九十九島（赤島周辺）。日本で最も島の数が多い長崎県には1,479もの島が存在する（長崎県佐世保市、時事通信フォト）。

▶詳しいニュース解説は 42〜43 ページ

WBC表彰式／優勝カップを掲げる侍ジャパンの選手たち。大谷翔平選手はMVPに輝いた（AFP＝時事）。

米大リーグオールスター戦の前日、練習を終えて引き揚げるエンゼルスの大谷選手。通訳の水原一平氏も人気だ。

日本の
アスリート
が世界で
活躍

7月のウィンブルドン大会でも初優勝し、グランドスラム（4大大会）の2大会を連続で制覇した小田凱人選手（イギリス・ウィンブルドン　AFP＝時事）。

バスケットボール男子W杯・順位決定リーグでカーボベルデに勝利し、パリ五輪出場を決めて記念撮影する日本チーム（9月2日、沖縄アリーナ）。

世界陸上女子やり投げで優勝した笑顔の北口榛花選手。練習の拠点はチェコ共和国。流暢なチェコ語でのインタビューも話題となった（8月25日、ハンガリー・ブダペスト）。

・WBCで日本優勝

　2023年3月に開催された第5回WBC（ワールド・ベースボール・クラシック）で、日本の「侍ジャパン」が決勝でアメリカを破り3大会ぶり3度目の優勝を果たした。今大会では日本にルーツを持つアメリカ国籍のヌートバー選手の活躍も注目された。

・アメリカのメジャーリーグで大谷選手が大活躍

　アメリカのメジャーリーグで、2017年よりロサンゼルス・エンゼルスに所属する大谷翔平選手は、シーズンを通して投手・打者の「二刀流」プレーヤーとして活躍するスター選手となった。また、2023年には日本人初のホームラン王に輝いた。

・車いすテニス小田凱人選手の初優勝

　2023年6月に開催された全仏オープン（車いす部門シングルス）で優勝した小田凱人選手が、史上最年少（17歳1か月と2日）で、世界ランク1位に輝いた。9歳から車いす生活になった小田選手は、2012年のロンドンパラリンピックで活躍した国枝慎吾選手のプレーを見て感動し、10歳から競技を続けていた。

・沖縄で開催　FIBAバスケットボールのワールドカップ

　2023年8月25日に開幕したFIBAバスケットボール世界一決定戦。日本はフィンランドに勝利。日本がヨーロッパ勢に勝利したのは史上初。その後、順位決定リーグに進み、ベネズエラとカーボベルデにも勝利し、2024年のパリオリンピックの出場権をつかんだ。自力でのオリンピック出場はモントリオール大会以来、48年ぶりだ。

・世界陸上女子やり投げで北口榛花選手が金メダル

　2023年8月、ハンガリー・ブダペストで開催された世界陸上競技選手権大会で、北口榛花選手が、オリンピックを始めとする世界大会での陸上競技場内で行われるトラック＆フィールド種目（女子）では日本人初の金メダルに輝いた。

大雨の影響により崩落した道路（7月11日、佐賀県唐津市）。

日本と世界の自然災害

・線状降水帯

　積乱雲が連続して発生し、列のように連なり、長い時間大雨を降らせることで災害につながる危険性があるのが線状降水帯の特徴だ。気象庁から線状降水帯による「顕著な大雨に関する気象情報」も予測基準を満たせば30分前から発表されるようになった。

写真は台風7号の影響で一部が崩落した橋。鳥取県にはこの台風で記録的な大雨が降り、土砂災害と浸水被害が相次いだ（8月16日、鳥取市佐治町　朝日新聞社／時事通信フォト）。

・台風7号の被害

　2023年8月8日に発生した台風7号は、15日に和歌山県に上陸して近畿地方を縦断。近畿地方や中国地方に土砂災害や浸水被害をもたらした。

▶詳しいニュース解説は18〜21、48〜49、62〜63ページ

カナダで発生した大規模な山火事（6月9日、AFP＝時事）。

大規模な山火事で被災した米ハワイ州マウイ島（8月18日、EPA＝時事）。

　2023年6月8日時点で、カナダでは、発生している429件の山火事のうち半数以上が制御不可能な状態にあり、およそ3分の1が東部ケベック州で起きている。例年、5月から10月にかけてカナダ西部を中心に山火事が発生している。8月20日に、トルドー首相は、山火事が多発している西部ブリティッシュコロンビア州の要請に応じ、軍を派遣して住民の避難などを支援すると明らかにした。こうした山火事の背景には、異常気象があるとされている。

　2023年8月8日に発生したハワイ・マウイ島での山火事は、アメリカでの山火事の犠牲者数では1918年以降で最多になった。島西部の観光地ラハイナは2200以上の建物が損壊した。強風が吹いていたのに送電線の通電を停止せず、倒れた送電線が草木などに接触したのが出火の原因という見方がされている。世界的には、ギリシアなどのヨーロッパ南部を中心に大規模な森林火災が頻発しているといわれ、気象変動、温暖化が要因にあげられている。

2024入試用 ニュース解説 もくじ

身のまわりの商品から考える日本のグローバル

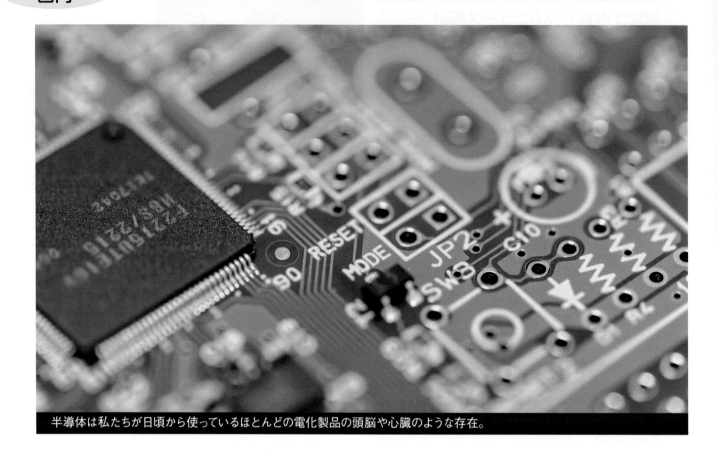

半導体は私たちが日頃から使っているほとんどの電化製品の頭脳や心臓のような存在。

オンライン授業も半導体不足の原因？

◆パソコンが買えなくなる？

　財務省の統計によると、2022年の日本の貿易額は、輸出が99兆2264億円で前年から15.5％増え、輸入も120兆9549億円で前年から32.2％増えました。新型コロナウイルス感染症（COVID-19）の影響で2020年の貿易額は大きく減少しましたが、2022年の貿易額は輸出輸入ともに過去最高額を記録しました。しかし、輸出から輸入を差し引いた貿易収支は21兆7284億円で過去最大の赤字でした。原油の高騰、円安が大きく影響したものと考えられます。

　こうしたなか、話題になっているのが、半導体不足です。半導体は自動車やパソコンやゲーム機はもちろん、スマートフォンや炊飯器などほとんどの電化製品に使われています。半導体がなければ製品自体が作れないといってもいいほどです。

　半導体不足の原因は、コロナ禍でリモートワーク（学校ではオンライン授業）が増え、家でゲームをする人が増えるなどスマートフォン、パソコン、ゲーム機、テレビなどの需要が急増し、半導体

●半導体（集積回路）
半導体とは、本来は電気を通す金属などの「導体」と電気をほとんど通さないゴムなどの「絶縁体」との、中間の性質を持つシリコンなどのことだが、半導体を用いたトランジスタや集積回路も半導体と呼ばれている。情報の記憶（メモリー）、数値計算や論理演算などの情報処理機能を持ち、電子機器や家庭電化製品など多くの製品に使われている。

●サプライチェーン
原材料や部品の生産から、完成品の組み立て、製品の運送、小売店などでの販売に至るまでの一連の流れのことをいう。

日本の貿易の特徴とサプライチェーン

　資源が豊富でない日本は貿易で発展してきた。しかし、その輸入・輸出の内容は大きく変わってきている。日本は戦前から高度成長期までは、低賃金や円安を背景にして、製品を安く作り外国に売る途上国型の産業として繊維産業が盛んだった。その後は、円高の影響もあり急激に出荷額が減り、先進国の一員となった現在では輸出、輸入ともに多いのは機械類だ。

　世界的には、日本やNIES（新興工業経済地域）やASEAN諸国が原料や部品を作り、主に中国が完成品を生産しているという形になり、日本も世界的なサプライチェーンのなかに組み込まれるようになった。2018年に発効したTPP（環太平洋経済連携協定）や2022年に発効したRCEP（地域的な包括的経済連携協定）、あるいは国家間のEPA（経済連携協定）は、こうしたサプライチェーンのなかで物やお金、人やサービスの行き来をより自由にする目的がある。

■日本の主要輸出入品の移り変わり

輸出

1960
- その他 28.4
- 衣類 5.4
- 綿織物 8.7%
- 化繊織物 4.3
- 繊維品 30.2%
- その他 11.8
- 機械類 12.2
- 鉄鋼 9.6
- 船舶 7.1
- 魚介類 4.3
- 金属製品 3.6
- 精密機器 2.4
- がん具 2.2

2021
- その他 33.6
- 機械類 38.1%
- 自動車 12.9
- プラスチック 3.6
- 鉄鋼 4.6
- 自動車部品 4.3
- 精密機器 2.9

輸入

1960
- その他 36.0
- 綿花 9.4%
- 羊毛 5.9
- その他 2.3
- 繊維原料 17.6%
- 原油 10.4
- 石油 13.4
- 石油製品 3.0
- 機械類 7.0
- 鉄くず 5.1
- 鉄鉱石 4.8
- 小麦 3.9
- 木材 3.8
- 石炭 3.1
- 生ゴム 2.8
- 砂糖 2.5

2021
- その他 44.1
- 機械類 25.1%
- 原油 8.2
- 石油 10.7
- 石油製品 2.5
- 液化ガス 5.9
- 医薬品 5.0
- 衣類 3.3
- 石炭 3.3
- 精密機器 2.6

日本国勢図会 2023/24 より

●フェアトレード

「公平で公正な取引」の意味。一見何の関係もない人たちや工場で作られた外国製の商品を毎日のように買っている私たちだが、それがどのように作られているかを意識したことはあるだろうか。その商品を生産した人に正当な賃金が支払われているか（児童労働によるものでないか）、自然環境のことを考慮しているかなどを考えて商品を選ぶときに、「国際フェアトレード認証ラベル」などが参考になる。Tシャツやチョコレートなどの商品のタグや外箱などに印刷されている。

認証ラベルが表示されたフェアトレード商品

の需要も急増したことです。半導体工場は自動車用の半導体の製造ラインの一部をパソコンやスマートフォン向けの設備にしたため自動車用の半導体の生産が減り、さらに自動車用半導体の多くを生産していた日本の工場が火災にあうなどしたことから、一時的な休業にまで追い込まれた自動車メーカーもありました。

　世界中で需要の多い半導体ですが、生産の大半は、台湾、韓国、日本、中国、アメリカなど一部の国に限られています。中国がコロナ禍でスムーズに輸送できなかったり、アメリカと中国の貿易摩擦があったりなど、工業製品の多くが国際的なサプライチェーンで生産されている現在、さまざまな要因で生産や流通の流れが止まる危険性をはらんでいます。

◆目に見えないつながり

　工業製品ばかりでなく、現在の日本では、食料自給率が低いために、食料の多くを輸入に頼っています。また、わたしたちが着ている日本のブランドの衣服でも、多くは外国で作られています。サッカーボール、文房具、パソコンやスマートフォンなど私たちが使っている工業製品も、よく見ると外国製であることが多いです。こうしたことから、日本から遠く離れた国や地域で起きた気候変動による自然災害や国際紛争、パンデミックなどの影響が、わたしたちの生活にも直接響くのがグローバル社会だといってもよいでしょう。

解説の ポイント

| コロナ禍で半導体の需要が急増 | 日本も世界的なサプライチェーンのなかにいる | 外国製品、目に見えない生産者を考えることも大事 |

生物多様性とわたしたちのくらし

アメリカザリガニ
（朝日新聞社 / 時事通信フォト）

ミシシッピアカミミガメ
rishiya/PIXTA

アメリカザリガニとアカミミガメが飼育できなくなる?!

◆どうして条件付特定外来生物が新設されたの？

　2023年6月1日から、アカミミガメとアメリカザリガニは、特定外来生物に関する規制の一部を、当分の間、適用除外にする「条件付特定外来生物（通称）」に指定されました。野外への放出、輸入、販売、購入、頒布（広く配ること）などを許可なしに行うことが禁止されますが、ペットとして飼育することは認められます。

　アカミミガメは全国各地に定着し、住む場所や食物などをめぐって在来のカメ類との競合が生じています。また、食性が幅広いために、他の在来生物にも大きな影響を与えています。また一方、アメリカザリガニも全国各地に広く定着し、水生植物を消失させたり、ある場所では水生昆虫の絶滅を招いたりしています。また、白斑病（はくはんびょう）などを保菌し、ニホンザリガニを含む在来甲殻類などに大きな影響を与える可能性があるとされています。

　そうした日本の生態系に深刻な影響をおよぼす生物をどうして飼育可能としたのでしょうか。それは、これらの生物の飼育者が

●特定外来生物
2005年6月1日に施行された「外来生物法」で決められた外来生物のこと。生態系、人の生命・身体、農林水産業への被害の防止や、生物の多様性の確保などのために、問題を引き起こす海外起源の外来生物を指定している。飼養、栽培、保管、運搬、輸入を規制し、防除等を行うこととされている。

●里地里山
原生的な自然と都市との中間に位置し、集落とそれをとりまく林、農地、ため池、草原などで構成される地域のこと。農林業などに関わる地域の人々の働きかけを通じて環境が形づくられ維持されてきた。

ニホンザリガニ　山親父/PIXTA

■在来種

	ニホンザリガニ	ニホンイシガメ
指定など	2000年に絶滅危惧種に指定。2023年1月からは研究や趣味など商業目的以外の捕獲・採集は認める「特定第2種国内希少野生動植物種」に指定された。売買には懲役5年以下、罰金500万円以下の罰則がある。	準絶滅危惧種
原産地	在来種	在来種
生息地など	北海道と東北の一部の地域のみに分布し、水が冷たくてきれいな場所に生息。寿命は10〜11年。	本州の中部から西部にかけての地域、四国、九州に分布。寿命は30〜50年。
体長・特徴	体長6cm程度。体色は茶色。はさみと頭にトゲはない。堆積した有機物から小動物まで摂食する雑食性。	背甲長はオス約12cm、メス約20cm。
影響・被害	魚類や鳥類のエサになる。外来生物であるアメリカザリガニの増加や、水質の悪化により個体数減少。	里山環境の悪化、河川工事に影響で繁殖場所がなくなり個体数減少。異種間交雑の被害にあっている。

■生物多様性のためにできる5つのこと
（環境省「MY 行動宣言」より）

　里地里山、森や海の環境を保護することは、わたしたちの身近な行動でもできること。環境省が呼びかける「MY 行動宣言」から、5つのアクションを紹介する。人間が積極的に自然と関わることで生物多様性を維持しようという考えだ。

 地元でとれたものを食べ、旬のものを味わおう

 自然の中へ出かけ、自然や生き物にふれよう

 自然のすばらしさや季節の移り変わりを感じて、家族や友だちに伝えよう

 自然や生き物の観察会、保護活動などに参加しよう

 エコラベルなどが付いた、環境にやさしい商品を選ぼう

※エコラベル：その商品が環境に配慮したものであることを示すラベルのこと。公正な第三者機関が認めたものや、企業が環境、エコ、リサイクルなどを意識した商品であることを示したものなど多くの種類があり、買い物の際に消費者の目安になるもの。

●クマの被害と里地里山

　近年、都市や住宅地でクマが出没することが多くなった。本来人間の生活圏には近寄らないはずのクマがこうした行動に出るのは、里地里山が荒れクマが隠れやすくなり、人間とクマの生活圏の境目があいまいになったためといわれている。農林業の従事者の高齢化、後継者不足で、里地里山などが適正に管理されていないことも原因のひとつだ。多様性の維持は、自然のまま放置すればよいというものでもない。

ヒアリ［環境省提供］

セアカゴケグモ

現状ではとても多く、単に特定外来生物に指定して飼育等を禁止すると、手続きが面倒などの理由で野外へ放す飼育者が増えると予想されるので、生態系などへの被害を増やさ

ニホンイシガメ

ないために一部の規制を適用除外とする「条件付特定外来生物（通称）」に指定することになりました。したがって、現在飼っているものを屋外に放出したり、売ったりすることは禁じられます。飼い主を探す団体などに譲渡することは許されますが、寿命を迎えるまで飼い続けることが生物多様性を守る飼育者の責任でもあります。

◆特定外来生物とわたしたちの生活への影響

　特定外来生物に指定されている生物のなかには、わたしたちの生活する場所の近くに生息している可能性のあるものもあります。例えば、ヒアリは、漢字で「火蟻」と書きますが、攻撃性も強く、刺されると火傷のような激しい痛みを伴うことからその名がついたとされています。南米中部に生息するアリですが、海外からのコンテナ船に紛れて日本に来たものとみられます。わたしたちにも危害を加える生物として注意が必要です。

　オーストラリア原産のセアカゴケグモも、温暖化の影響もあり、すでに日本のほぼすべての都道府県で発見されています。毒があるため、噛まれると、場合によっては重症化する危険性があります。

解説のポイント

条件付
特定外来生物に
2種が指定

外来生物で崩れる
生態系。在来種が
絶滅の危機に

多様性の維持には
人間が積極的に
関わるべき

世界の動きとわたしたちのくらし

スーパーの卵売り場（1月、東京都練馬区）。

世界の紛争が続き、記録的なインフレに

◆「物価の優等生」の卵まで値上がりへ？

　長い間、物価が低下するデフレの状況が続いていた日本でしたが、2022年は一変し、記録的な値上げ（インフレ）の1年になりました。2023年もインフレの傾向が続いていますが、なかでも話題となっているのが鶏の卵の値上がりです。日本では30〜40年の間、経済成長などで全体的に物価が上昇しても卵の値段だけはほとんど上がらずに推移し、卵は「物価の優等生」と呼ばれてきました。しかし、2022年の9月ごろから高値になりはじめ、2023年の5月には前年比で1.6倍近くの値上がりとなっています。

　卵以外の食品や飲み物などについても、2023年に入っても値上げの傾向は止まらず、2023年6月には3500品目以上が値上がりし、特にカップ麺に限っただけでも550品目以上が値上げされました。多くのカップ麺がすでに2022年には値上げされ、2023年にも再値上げされる事態になっています。

●原油の高騰
ロシアのウクライナ侵攻は原油価格の高騰も招いている。ロシアは、天然ガスの生産量が世界2位（世界全体の生産量の2割程度を占める）、原油の生産量が世界3位（世界全体の生産量の1割程度を占める）のエネルギー大国。世界各国が経済制裁としてロシアの天然ガスの輸入をやめると、その代わりに別の国から原油を輸入するので世界全体でみた場合に原油不足になり、原油価格が上がる。それが運送料に響くので、私たちの身のまわりの製品にも影響する。

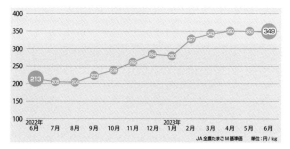

卵の卸売価格

JA全農たまご M基準価　単位：円/kg

日本の鶏卵の食料自給率は97%（重量ベース2021年概算）だが飼料自給率を考慮すると13%でしかない。つまり、エサの原料となるトウモロコシや小麦などのほとんどを輸入に頼っているので卵の値段も上がる。トウモロコシも小麦も、日本が直接ロシアとウクライナから買っている量は多くないが、ロシアとウクライナから穀物を多く輸入している国が、代わりにほかの国の穀物を買うので、そのぶん世界規模で穀物が足りなくなるため高値になる。

なお、卵の高騰に関しては、2022年秋から2023年にかけて日本で鳥インフルエンザが流行し、過去最大となる1700万羽以上の鶏（その9割以上が卵を採るための鶏）を殺処分したため、値上がりに拍車をかけた。

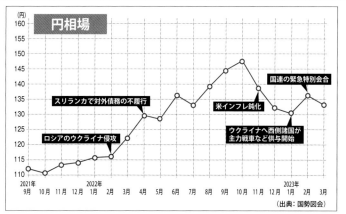

（出典：国勢図会）

円安の原因はいろいろあるが、今回の円安は好景気でインフレが続いたアメリカが政策金利を引き上げてインフレを止めるため、相次ぐ利上げを行ったことが主な要因である。利上げとは、原則的に銀行預金の利息の利率を上げることをいう。それによって投資や預金で利益を出しやすくなる。一方で日本は利上げをしない（ドルに比べて利息が少ない）ので、世界の多くの投資家が日本の円を売ってドルを買い、ドルでの投資や預金で利益を得ようとするため円安となった。日本が利上げをしないのは、アメリカなど外国に比べて景気が悪いからで、今後も日本は景気が回復せず利上げをしない可能性が高い。したがって、円安による物価高はまだ当面は続くと予想する専門家も少なくない。

●日本の物価高対策

電気代やガス代が高騰するなか、日本政府は約3兆円の予算を使って、電気代・ガス代を国が補助する政策を実施。2023年の1月から8月まで、一般的な家庭で電気代が月2800円程度、ガス代が月900円程度軽減された。2023年6月に電力会社各社が電気代を値上げしたにもかかわらず、ロシアのウクライナ侵攻以前より電気代が下がる計算になっている。

●マヨネーズの原料の卵を輸入

マヨネーズの原料の卵については、大手食品会社が、2023年5月にブラジルから卵を輸入することを発表している。しかし、7月以降にブラジルでも鳥インフルエンザが発生している。

◆急激な円安

2022年6月から2023年にかけて日本の円とアメリカのドルは、1ドル＝130～150円と円安傾向が続いています。円安傾向が続くのは、ドル以外でもEUのユーロや中国の人民元といった通貨についても同様です。円安になると輸入品の値段が上がります。また、円安により輸入品である石炭や天然ガスなどの値段が上がれば、そのぶん電気料金が上がります。電気料金が上がると、鶏を飼う鶏舎にかかる電気代が上がり、同様にカップ麺も、それを加工する工場の電気代が高くなるので値段を上げざるを得ません。

◆食品などの原料の高騰

また、ロシアのウクライナ侵攻によって、食品の原料が高騰しています。ロシアもウクライナも農業の盛んな国で、小麦やトウモロコシといった穀物は、ロシアとウクライナの2国ともに世界有数の生産量をほこっています。こうした穀物の生産量や流通量がロシアとウクライナが戦争状態にあることで農業に手が回らなくなり、世界のあちこちで不足がちになります。世界規模で穀物の値段が値上がりし、それを原料や飼料としているわたしたちの身のまわりの製品にも影響してきます。

解説のポイント

外国に頼っている物が多いわたしたちのくらし	紛争地域の輸出が減り値段が上がる	飼料や電気代が上がると商品の価格も上がる

地球環境問題とわたしたちのくらし

ニューヨークの国連本部で記者会見するグテーレス事務総長（AFP＝時事）。

地球沸騰化の時代へ！

◆猛暑や山火事は温暖化のせい？

　2023年7月27日、国際連合のアントニオ・グテーレス事務総長は、7月の世界の月間平均気温が過去最高を更新する見通しとなったことを受けて記者会見を開き、「地球温暖化の時代は終わり、地球沸騰化の時代が到来した」と警鐘を鳴らし「もはや空気は呼吸するのに適していません。暑さは耐えがたいものです。そして、化石燃料で利益をあげて気候変動への無策は許せない」と続けました。

　グテーレス氏は「気候変動の最悪の事態を回避することは、まだ可能だ」とも述べ、日本を含む主要20か国・地域が世界のGHG（温室効果ガス）の「約8割を排出している」として、9月にインドで開かれたG20首脳会議（ニューデリーサミット）などで「野心的な新たな削減目標が必要だ」とも強調しました。

　G20ニューデリー首脳宣言では、「われわれは一つの地球、一つの家族であり、一つの未来を共有している」として、気候変動への取り組みを全世界で行うべきだとしました。

● GHG
Green House Gas の略で、二酸化炭素やメタンなどの温室効果ガスのこと。パリ協定のもと、人間活動による GHG ガス排出量抑制への取り組みが、国や企業単位で行われている。

● パリ協定
2015 年にフランス・パリで行われた国連気候変動枠組条約第21回締約国会議（COP21）で採択された協定。温室効果ガスの排出を今世紀後半までに実質ゼロにすることを目標としている。G20 の首脳宣言でも、気温目標などパリ協定の達成に向けた取組を加速させる必要があるとしている。

■ 今日からできる！地球温暖化対策 (参考：環境省HP)

一人でできること

テレビ
・見る時間を少なくしよう
・見ていない時は電源を切ろう
・しばらく見ない時はプラグを抜こう

冷蔵庫
・開け閉めは短い時間で
・中身を整理して、ものをつめすぎないようにしよう

エアコン
・冷房は28℃、暖房は20℃に設定しよう
・使う時はカーテンを閉めよう
・扇風機を上手に使おう
・冬はカーテンなどを閉めて窓やドアから熱が逃げないように工夫しよう

照明
・使う時間は短くしよう
・使わない時はこまめに消そう

移動
・短い距離は歩くか、自転車に乗ろう

おふろ
・シャワーを出す時間は短くしよう

服装など
・夏は涼しく、冬は暖かく、気温に合わせた服装を選ぼう
・冬は温かいものを食べて体を温めよう

友だちや家族でできること

エアコンや照明
・フィルターや照明器具のそうじをこまめにしよう

暑さ対策
・夏は打ち水をしてみよう
・窓の外に緑のカーテンをつくり、夏の日差しを防ごう

打ち水　hekinan/PIXTA

緑のカーテン　ケイアール/PIXTA

寒さ対策
・家では同じ部屋で過ごそう

おふろ
・冷めないうちに家族で順番に入ろう

●ゲリラ豪雨
近年、6月から8月にかけて、突発的に局地的な大雨が多発して、事故や災害が相次いでいる。予測が困難なことから「ゲリラ豪雨」と呼ばれる。特に東京などの都市部で増えているのはヒートアイランド現象との関連が指摘されている。

●ハワイやカナダで火災
2023年8月8日に発生したハワイ州・マウイ島での山火事は、アメリカでの山火事の犠牲者数では1918年以降で最多になった。また、カナダでも、例年、5月から10月にかけてカナダ西部を中心に山火事が発生するが、ギリシアなどのヨーロッパ南部を中心に大規模な森林火災が頻発しているといわれ、気象変動、温暖化が要因にもあげられている。

「GHG排出量は増加し続け、気候変動、生物多様性の損失、汚染、干ばつ、砂漠化が生命と暮らしを脅かしている。食料やエネルギーの価格を含む物価の高騰は、生活費を圧迫する一因となっている」と、まさに、わたしたちの身近で起きていることが、GHGの排出量の増加の主な原因だと強調しています。

そして、気候の課題に対処するためにはわたしたちの生活を変え、生物多様性、森林および海洋を保全するための行動を早急に加速させることが必要だと訴えました。

◆日本の大都市ではヒートアイランド現象も

郊外に比べて都市部ほど気温が高くなる現象のことをヒートアイランド現象と呼びます。高層ビルやコンクリートの建物、アスファルトで覆われている道路が多く森林などが少ないために熱がこもり、さらに高層ビルが妨げになって風が弱くなることが大きな原因といわれています。

東京都の年平均気温は、観測を始めた翌年の1876年は13.6℃だったものが、2022年には16.4℃となり、約150年間で、約3℃ほど気温が上昇しています。高温になる夏は特に人々の健康にも影響を与えています。

解説のポイント

世界は 地球温暖化から 地球沸騰化の時代へ	G20諸国には 温室効果ガスの 削減に責任がある	地球温暖化対策は、 わたしたちの 行動から始めよう

関東大震災から100年、活かされる教訓

関東大震災直後の東京・銀座。復興後「晴海通り」の拡幅によって、銀座や京橋は賑やかさを取り戻した。

大きな被害が出た原因は?

2023年から100年前にあたる1923（大正12）年の9月1日、午前11時58分に発生した関東大地震は、大正時代の日本の首都圏を襲った巨大な地震として現在も多くの教訓とともに語り継がれています。地震の規模はマグニチュード7.9と推定されており、被害は、南関東から東海地域の広い範囲におよびました。死者は約10万5千人、全壊したり焼失したりした家屋は約29万棟に上り、電気、水道、道路、鉄道などのライフラインも大きな損害を被りました。1960年からは、この9月1日は「防災の日」として防災意識を高める日と定められています。

◆関東大地震の原因

関東大震災を引きおこした関東大地震は、北アメリカプレートの下にフィリピン海プレートがもぐりこみ、その下に太平洋プレートがもぐりこんでいることによって起きる「海溝型（プレート境界型）」の地震です。一方、今後30年以内に発生する確率が70%と予想されている「首都直下地震」は「内陸型（活断層型）」の地震です。

●防災の日

1960（昭和35）年に9月1日が防災の日と定められた。暦の上では立春から210日目にあたる「二百十日」で、台風シーズンを迎える時期でもあり、1959（昭和34）年9月26日の「伊勢湾台風」が大きな被害をもたらしたことも契機になった。現在は、9月1日の防災の日を含む一週間を防災週間と定め、防災の意識を高めるための行事や訓練などが行われている。

関東大震災から学んだ主な教訓

■ 災害を教訓にした復興計画
後藤新平が中心となり「帝都復興計画」が立てられ、東京や横浜市では土地区画の整理や河川の改修、「昭和通り」など舗装された幹線道路も新設された。その一方で、多くの人々が郊外に移住して新たな密集市街地を作り出す結果ともなった。

▲ 後藤新平

■ 建築基準の改正と研究所の設立
市街地建築物法（現在の建築基準法）が改正され、日本初の耐震基準が定められ、その後大きな地震を契機に改訂されている。「隅田公園」のように、災害時の避難場所や防火の役割を担う数多くの公園が整備された。さらに「地震研究所」（現在の東京大学地震研究所）が設立されて地震や防災の研究が現在でも続けられている。

▲ 上野公園は震災の翌日、数万人の避難民でごった返した ＝東京・上野公園（朝日新聞社／時事通信フォト）

▲ 1923年9月1日の関東大震災の直後、火を噴く警視庁舎（東京市麹町区）

■ 防災の日
1960（昭和35）年に9月1日を防災の日と定めた。

■ 災害時のデマ
内閣府の報告書では、当時日本に住んでいた朝鮮半島出身者が武装したり放火したりするなどといった根拠のないうわさが広まり、各地で殺傷事件が多発したとされている。東日本大震災でも、人々の怒りや不安を駆り立てるデマが広まった。現在はインターネットでのSNS（ソーシャルネットワーキングサービス）を通じて瞬時に多くの人々に影響をもたらす危険性がある。

■ 時代により変化した教訓
「地震だ、火を消せ」という標語が大震災以後語り継がれてきた。しかし、最近では地震の被害者のかなりの数が無理に火を消そうとして上から落ちてきたものなどでケガをするケースであることがわかってきた。そこで、まずは近くの机の下などで身の安全をはかり、地震が収まってから消火をしても間に合うとされている。マイコンメーターが地震によって作動してガスが止まるなど、現代の科学技術の進歩も影響している。

100年間の大きな災害
（地震・津波・台風・豪雨・噴火など）

2023/5/5	令和5年奥能登地震（M6.5）石川県
2020/7/3〜31	令和2年7月豪雨
2019/10/11〜12	令和元年台風19号
2018/6/28〜7/8	平成30年7月豪雨
2016/4/16	熊本地震（M7.3）
2014/9/27	御嶽山噴火
2011/3/11	東北地方太平洋沖地震（東日本大震災）（M9.0）国内観測史上最大マグニチュード
2004/10/23	新潟県中越地震（M6.8）
1995/1/17	兵庫県南部地震（阪神・淡路大震災）（M7.3）
1993/7/12	北海道南西沖地震（M7.8）
1991/6/3	雲仙岳噴火の火砕流
1986/11/15	伊豆大島噴火、伊豆諸島で大噴火
1983/10/3	三宅島噴火、伊豆諸島で大噴火
1977/8/7	有珠山噴火、北海道で大噴火
1960/5/23	チリ地震津波
1959/9/26	伊勢湾台風
1954/9/26	洞爺丸台風
1948/6/28	福井地震（M7.1）
1947/9/15	カスリーン台風
1946/12/21	昭和南海地震（M8.0）
1945/9/17	枕崎台風
1945/1/13	三河地震（M6.8）
1944/12/7	昭和東南海地震（M7.9）
1943/9/10	鳥取地震（M7.2）
1934/9/21	室戸台風
1933/3/3	昭和三陸地震（M8.1）
1927/3/7	北丹後地震（M7.3）
1923/9/1	関東大地震（関東大震災）（M7.9）

▲ 建設が進む「三陸自動車道（三陸道）」。東日本大震災の被災沿岸部の公共工事「復興道路」として事業化されている。2021年12月に全線開通した。

● 100年前の日本
1914年に始まった第一次世界大戦がおわり、1919年にベルサイユ条約が結ばれた。1920年に国際連盟が設立され日本は常任理事国になった。大戦が終わり戦後恐慌と呼ばれる不景気になり、そこに関東大震災が追い打ちをかけた。

● 後藤新平
明治・大正期の政治家。1920（大正9）年東京市長となる。その後、帝都復興院総裁として、大震災後の復興計画を立案した。

◆被害が広がった原因とその後の東京

地震が昼食時に起こったこともあり竈（かまど）や七輪から同時多発的に火災が発生し、さらに水道の断水、おりからの強風などによって火災はたちまち広がりました。さらに避難者が家財を持ち出したために、それに火がつき延焼の原因になったといわれています。

火を止めたのは、家を壊して延焼を防ぐ破壊消防（はかいしょうぼう）などの他に、広場や道路などの空地だったといわれ、再開発では公園を作ったり、住宅の密集を避けて道路を整備したりするなど、後藤新平が中心になった復興計画にも活かされました。

また、翌年には建物の構造強度規定が改正され、世界で初めての法令による地震力規定が誕生し、震災予防調査会が解散して、東京帝国大学（現在の東京大学）地震研究所も創設され、災害の研究も受け継がれています。

地震のメカニズム

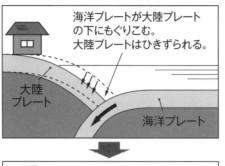
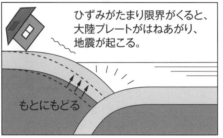

海溝型

海洋プレートが大陸プレートの下にもぐりこむ。大陸プレートはひきずられる。

ひずみがたまり限界がくると、大陸プレートがはねあがり、地震が起こる。

日本海周辺のプレート

海溝型の地震の起きるしくみ

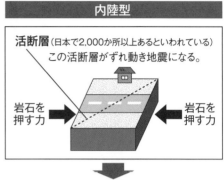
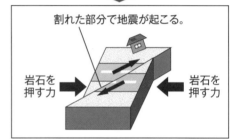

内陸型

活断層（日本で2,000か所以上あるといわれている）この活断層がずれ動き地震になる。

割れた部分で地震が起こる。

内陸型の地震の起きるしくみ

◆内陸型と海溝型・・・2つの地震のメカニズム

　地震には大きく2つの発生メカニズムがあります。一つは「内陸型（活断層型）」で、地層や岩盤の割れ目である断層に何らかの力が加わって上下や横にずれることで地震が発生します。日本列島直下の浅い震源で起こる地震はこのタイプで、マグニチュードはさほど大きくなくても震源が浅いことから揺れが激しく大きな被害が出ることがあります。

　もう一つは関東大地震の地震のタイプである「海溝型（プレート境界型）」です。地球上の大陸はいくつかのプレートに分かれています。そのプレートの合わせ目である海溝では、一方のプレートがもう片方の下に潜り込んで消滅する運動が常に起きています。この部分でひずみがたまり、ときに上側のプレートが反動で跳ね上がります。これが海溝型地震のしくみです。

　日本列島の付近には4つのプレートの合わせ目があるとされ、関東大地震は北アメリカプレートとフィリピン海プレートの境目で起こりました。また、観測史上最も大きな地震だった東北地方太平洋沖地震は北アメリカプレートの下に太平洋プレートが潜り込むところが震源地でした。今後、東海大地震を引き起こす可能性が指摘されている南海トラフ（トラフは海溝の中でも浅い溝）は、フィリピン海プレートとユーラシアプレートの合わせ目で、ここではフィリピン海プレートが下に潜ります。海溝型地震は起きる場所や規模によって津波を引き起こすことがあり、近海の浅い海底で大規模な崩落が起きることによって巨人津波になる可能性があります。

津波が起こるしくみ

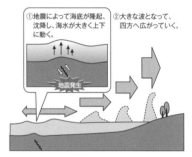

①地震によって海底が隆起、沈降し、海水が大きく上下に動く。

②大きな波となって、四方へ広がっていく。

地震発生

　震源が海底の場合、津波が起きる可能性がある。関東大震災でも相模湾周辺と房総半島の南端では最大高さ12m（熱海）、9m（館山）の津波が起こったといわれる。

● 南海トラフ
四国の南の海底にある、水深4,000m級の溝のこと。ここはフィリピン海プレートがユーラシアプレートの下に沈み込んでいるプレート境界に当たる。

● プレート
地球の表面は10枚ほどのプレートに分けられる。プレートは厚さ数10kmから100km程度の岩板で、年間に数cmのスピードで動いている。そして、プレートの境界で火山活動や地震が集中的に発生していることが明らかとなっている。

知っておきたい最新の防災情報

■緊急地震速報のしくみ

　大きな地震が起きると携帯電話やテレビに揺れが来る前に警報が届くことがある。これを「緊急地震速報」という。全国に張りめぐらされている地震計が地震のP波とS波の2種類の波動の伝達の速度の違いを利用して、揺れる前に速報を出すしくみになっている。

　震源からはP波とS波の波動が同時に発生するが、P波は揺れは小さいものの速度が速く、大きな揺れで大きな被害を引き起こすS波よりも早く地震計で感知できる。そのため、P波のデータから震源・規模・想定される揺れの強さを推定して、警報を発することができる。

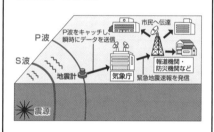

■災害弱者を意識した警戒レベル

　高齢者、障がい者、乳幼児など、自分で危険が迫っていることを察知したり、情報を得たり、回避行動をしたりしにくい人を災害弱者という。日本語が理解できない旅行中の外国人などもあてはまる場合がある。同じ警戒レベルでも、家族構成によって避難のしかたが異なる。

警戒レベル5 （緊急安全確保）	命の危険。直ちに安全確保。
警戒レベル4 （避難指示）	危険な場所から全員避難。
警戒レベル3 （高齢者等避難）	危険な場所から高齢者等は避難。
警戒レベル2 （大雨・洪水・高潮注意報）	自らの避難行動を確認。ハザードマップ等により自宅・施設等の災害リスク、指定緊急避難場所や避難経路、避難のタイミング等を再確認するとともに、避難情報の把握手段を再確認・注意する。
警戒レベル1 （早期注意情報）	災害への心構えを高める。防災気象情報等の最新情報に注意する。

■事前にハザードマップで地域を知る

　ハザードマップとは、自然災害が発生した場合に、生命を守り被害を軽減するための情報を集めた実用的な防災地図。災害時に危険な場所、避難場所や防災関係施設、避難経路が表示されている。事前に見て自分のくらす地域の具体的な状況を把握しておくとよいだろう。

作成支援ツールで作ったハザードマップのイメージ図 [国土交通省提供]

令和5年奥能登地震＜2023年5月5日＞

「長周期地震動」を緊急地震速報運用開始以来、初観測

　2023年5月5日、最大震度6強の地震が石川県の能登半島で発生した。最初の地震は陸のプレート内部で発生し、断層が上下の方向にずれ動く逆断層型と気象庁は分析。また「長周期地震動」も観測し、立っていることが困難になり、固定していない家具が移動することなどもある長周期地震動階級3を珠洲市で観測したことが明らかになった。緊急地震速報で長周期地震動予測が出たのは2023年2月に発表基準が追加されて以来初めてだ。

　大きな地震で生じる、周期（揺れが1往復するのにかかる時間）が長い大きな揺れのことを長周期地震動といい、高層ビルは大きく長時間揺れ続けることがある。また、遠くまで伝わりやすい性質があり、地震が発生した場所から数百kmはなれたところでも大きく長く揺れることがある。

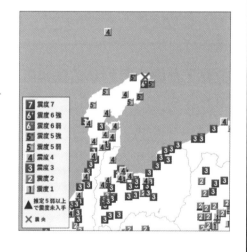

※長周期地震動階級とは、固有周期（建物が一方に倒れて反対側に戻ってくる時間）が1〜2秒から7〜8秒程度の揺れが生じる高層ビル内における、地震の時の人の行動の困難さの程度や、家具などの移動や転倒などの被害の程度から4つの段階に区分した揺れの大きさの指標。

解説のポイント

関東大震災の教訓が活きる東京の復興	地震のあとは津波に注意	大きな揺れの到達の前には緊急地震速報が発令

G7サミット、広島で開催

広島市の平和記念公園で各国首脳らが記念撮影を行った。

どのようなことが話し合われたの？

◆主要７か国の首脳が広島県広島市で会合

　2023年５月19〜21日に、広島県でG７サミット（主要国首脳会議「広島サミット」）が開かれました。サミットとは、いわゆる主要国の首脳が年に一度集まって、その折々に世界で問題になっていることを話し合う国際会議のことです。現在の参加メンバーは、日本、アメリカ、ドイツ、イギリス、フランス、イタリア、カナダの７か国とＥＵ（欧州連合）の代表で、各国が持ち回りで議長国となり、その国の都市で開催されます。

　今年は日本が議長国で、岸田首相によって広島県広島市が会場に選ばれました。１日目は、午前中に岸田首相が各国首脳を平和記念公園に迎える形でスタート。史上初めてG７首脳がそろって広島平和記念資料館（いわゆる原爆資料館）を見学し、原爆慰霊碑に献花しました。昼から広島市内の宇品島にあるホテルで会合が始まり、夕方には宮島を訪れ世界遺産の厳島神社に足を運び、その後再びホテルで話し合いの場が設けられました。２日目は韓国

● G７サミット
G7 は "Group of seven" の略で、「７つの国の集まり」を意味する。サミット (summit) は頂上を意味しており、国のトップのことをさす。

●首脳宣言
サミットでは、議論して各国の合意が得られた成果を首脳宣言としてまとめ、発表するのが慣例になっている。

●グローバルサウス
インドをはじめとする、近年国力をつけてきた、南半球に多い新興国や開発途上国の総称。南半球の国でなくとも、新興国全般をさすこともある。アメリカやイギリスなど自由主義の西側陣営、それに対するロシアや中国などの東側陣営のいずれからも距離をおいた、国際社会における「第三の勢力」という意味でも使われる。

G7 広島サミット　参加メンバー

今回の広島サミットにはインド、インドネシア、オーストラリア、韓国、ブラジル、ベトナム、アフリカ東部の国コモロ（アフリカ連合議長国）、太平洋地域のクック諸島（太平洋諸島フォーラム議長国）の8か国が招待国となった。サミットでは通常、G7やEUの首脳による全体会合のほか、招待国も加えた拡大会合を開くことになっている。招待国は議長国が決める。

現在では、中国などの経済力のある新興国が増えてきたために、G7サミットの重要性は薄れ、儀式化しているという指摘もある。それでもG7の経済規模は世界全体の50％近くを占め、その動向は世界的に影響力を持っている。また、世界のリーダーが一堂に会し、国際社会が抱える問題について話し合うことは貴重な機会といえる。

日本
岸田文雄首相（65歳）

アメリカ
ジョー・バイデン大統領（80歳）

ドイツ
オラフ・ショルツ首相（64歳）

イギリス
リシ・スナク首相（43歳）

フランス
エマニュエル・マクロン大統領（45歳）

イタリア
ジョルジャ・メローニ首相（46歳）

カナダ
ジャスティン・トルドー首相（51歳）

欧州連合（EU）
シャルル・ミシェル
欧州理事会議長（47歳）

欧州連合（EU）
ウァズラ・フォン・デア・ライエン
欧州委員会委員長（64歳）

●ゼレンスキー大統領の参加

開幕2日目の5月20日に、急きょウクライナのゼレンスキー大統領が訪日し、サミットに参加。広島平和記念公園では慰霊碑に献花し、G7首脳や招待国8か国の首脳と会合し、個別の会談も行った。ゼレンスキー大統領がサミットに加わることは事前に知らされておらず、サプライズでの出席となった。

広島サミット／献花するゼレンスキー大統領と岸田首相　[提供：外務省]

やインド、ブラジルなど8か国の首脳、国連やIMF（国際通貨基金）といった国際機関の代表などを招待し、拡大会合を実施。例年、最終日に出される首脳宣言も、この2日目に発表されました。最終日には、前日に来日したウクライナのゼレンスキー大統領が議論に加わりました。

◆国際情勢、軍縮、環境問題、AIなどをテーマに討議

今回のサミットでは、ロシアのウクライナ侵攻、台湾海峡の平和と安定、法の支配に基づく自由で開かれたインド太平洋、グローバルサウスへの関与といった国際情勢、核軍縮や不拡散の重要性の再認識、気候変動や地球規模での食料危機など環境問題のほか、世界経済・金融の安定、生成AIといった、世界が直面しているさまざまな課題をテーマに話し合われました。

特にロシアのウクライナ侵攻については、国際法の重大な違反であるとして、改めてロシアを強く非難。ロシアに武器などを供給する国々に即時停止を求め、ウクライナのエネルギー、インフラ復旧への継続的な支援を表明しました。核軍縮の議論でも、ロシアによる核の威嚇（いかく）に明確に反対しています。

サミット年表

回	年	議長国	開催地
23	1997	アメリカ	デンヴァー
24	1998	イギリス	バーミンガム
25	1999	ドイツ	ケルン
26	2000	日本	九州・沖縄
27	2001	イタリア	ジェノバ
28	2002	カナダ	カナナスキス
29	2003	フランス	エビアン
30	2004	アメリカ	シーアイランド
31	2005	イギリス	グレンイーグルズ
32	2006	ロシア	サンクトペテルブルク
33	2007	ドイツ	ハイリゲンダム
34	2008	日本	北海道洞爺湖
35	2009	イタリア	ラクイラ

回	年	議長国	開催地
36	2010	カナダ	ムスコカ
37	2011	フランス	ドーヴィル
38	2012	アメリカ	キャンプ・デービッド
39	2013	イギリス	ロック・アーン
40	2014	ベルギー	ブリュッセル
41	2015	ドイツ	エルマウ
42	2016	日本	伊勢志摩
43	2017	イタリア	タオルミーナ
44	2018	カナダ	シャルルボワ
45	2019	フランス	ビアリッツ
47	2021	イギリス	コーンウォール
48	2022	ドイツ	エルマウ
49	2023	日本	広島

※2020年（第46回）は、新型コロナウイルス感染症拡大の影響などもあり中止された。

◆サミットは、世界経済の話し合いの場としてスタート

　サミットは、第一次石油危機（オイルショック）後に世界経済の立て直しを図るために、1975年にフランスのジスカール・デスタン大統領（当時）の呼びかけで始まり、日本、アメリカ、イギリス、西ドイツ（当時）、イタリア、フランスの６か国の首脳がフランスのランブイエに集まって会議を行いました。その場で、毎年そうした会議を開催することが決まったのです。当初は、先進国首脳会議と呼ばれていました（翌年、カナダが加入）。

　当時は経済のグローバル化が急速に進み始めたころで、一国の政策では対応できない問題が次々と出てきていました。そこで、経済力のある国々が集まって話し合うことで、実効性のあるすばやい対策を協力して打ち出したり、世界経済の安定を図ったりすることができたのです。

◆かつてはロシアも参加し、G8 だった

　サミットは、1998年のバーミンガム・サミットからロシアが正式に参加し、G8サミットとして行われていた時期があります。しかし、2014年にウクライナの領土だったクリミアをロシアが併合したことで、それ以降のロシアのサミット参加は停止され、再び

これまでの日本の開催地

1979 年 （第 5 回）	東京（東京サミット） 大平正芳 首相
1986 年 （第 12 回）	東京（東京サミット） 中曽根康弘 首相
1993 年 （第 19 回）	東京（東京サミット） 宮沢喜一 首相
2000 年 （第 26 回）	沖縄 （九州・沖縄サミット） 森喜朗 首相
2008 年 （第 34 回）	北海道 （北海道洞爺湖サミット） 福田康夫 首相
2016 年 （第 42 回）	三重 （伊勢志摩サミット） 安倍晋三 首相
2023 年 （第 49 回）	広島（広島サミット） 岸田文雄 首相

なぜサミットの会場が広島に？

　近年では、サミットの開催地は首相が判断して決めることになっている。岸田首相は2022年5月に今回のサミットの開催地を広島に決めた。ほかに名古屋市と福岡市も立候補していたが、ウクライナ侵攻でロシアが核兵器の使用をほのめかすなか、被爆地であることが決め手となった。

　また、岸田首相が「核兵器のない世界の実現」を大きな目標として掲げていることもある。サミットの開催地には、テロなどから要人を守るため警備のしやすさも求められるが、会合の行われるグランドプリンスホテル広島は広島市の市街地から1本の橋でしか行くことができず、警備面でも問題がない。さらに、世界遺産の厳島神社も近く、そこに各国首脳を招き日本文化に触れてもらうこともできる。

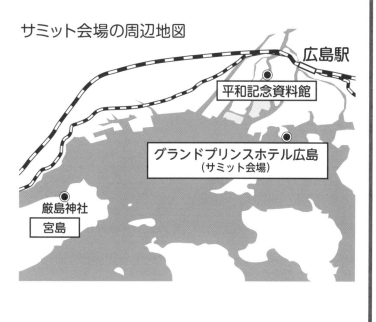

サミット会場の周辺地図

広島駅
平和記念資料館
グランドプリンスホテル広島
（サミット会場）
厳島神社
宮島

●厳島神社
創建は593年で、1168年に平清盛が現在の規模に造営。海上に並ぶ建物が背後の自然と一体となった景観の美しさや、平安時代や鎌倉時代の建築様式を今に伝えていることなどが評価され、1996年に原爆ドームと同時に世界遺産に登録された。

G7として開催されることになりました。なお、2014年のサミットが、初めてEUが主催してベルギー・ブリュッセルで開催されたのも、このロシアのクリミア併合がきっかけです。

◆ EU首脳は1977年のロンドン・サミットから加わる

　1977年のロンドン・サミットから、当時の欧州共同体（EC・現在のEUの前身）の欧州委員会委員長が出席するようになりました。また、2010年のムスコカ・サミットからは欧州理事会議長も参加するようになり、EUからは2名の首脳が参加する形となったのです。

◆ 次回のG7サミットはイタリアで開催

　イタリアのメローニ首相は、サミット期間中に広島市内で記者会見し、議長国を務める次回のG7サミットを、2024年6月に南部プーリア州で開催すると明らかにしました。イタリア北部で起きた洪水被害への対応のため5月21日の広島サミット会合には出席せず、会見後に専用機で広島を離れました。

解説の ポイント

G7サミット（主要国首脳会議）が広島市で開催	ウクライナ情勢、世界平和、核軍縮などが議題に	史上初めて各国首脳がそろって原爆資料館を見学

統一地方選挙

統一地方選挙／大阪府と大阪市の首長同時選挙で当選した、現職の吉村洋文氏（右）と、新人の横山英幸氏。

「統一地方選挙」ってどのような選挙なの？

◆ 統一地方選挙 ・・・ 首長と議員の選挙を全国一斉に行う

　統一地方選挙は、4年に1度、4月に投票日を統一し、全国で一斉に行われる地方自治体の首長や議員を決める選挙です。2023年は、4月9日に道府県および政令指定都市の首長と議員の選挙、23日に政令市以外の市区町村の首長と議員の選挙が実施されました。

　「地方自治は民主主義の学校である」という有名な言葉があります。イギリスの政治家ブライスは、19世紀後半のアメリカで、住民たちによる町の自治の様子を見てこの言葉を記しました。身近な課題を皆が参加して話し合い解決していくやり方や、それによって人々が「良識」・「判断力」・「共同体の一員としての責任感」を深めていく様子を表現したのです。

　国と地方自治体の選挙の一番の違いは、国は総理大臣が国会議員の選挙で決まる（議院内閣制）のに対し、自治体は首長も住民の直接選挙で選ぶことができる点です。それだけ、有権者の意思が地方行政に反映されるチャンスが大きいといえます。

●統一率

統一地方選挙のうち、統一された投票日に行われた選挙の割合のこと。投票日の統一により、国民の選挙に対する関心を高めることや、複数の選挙を同じ投票所で行うことにより経費を節約することを狙いとする。1947年の第1回（統一率100%）以降は、首長の辞任・議会の解散・市町村合併などを理由に統一率は下落傾向にある。

　2011年（第17回）は3月に東日本大震災が発生した影響により、岩手県・宮城県・福島県・茨城県で実施される予定だった選挙が特例法で延期されたため、統一率は27.4%と今までで最も低かった。

地方創生で自治体が取り組むことは？

将来にわたって豊かに暮らす自治体として存続していくために、今、どのような施策が必要とされているのでしょうか。

やるべきこと	具体的な政策	
❶人材を確保する まち・ひと・しごと創生法では、国はお金を出す立場。活性化の設計図を描き、それを実行するのは地方です。	地方大学で育成	地域で人を育てます。
	国・民間から取り込み	能力のある人を連れてきます。
❷しごとを増やす 人を呼ぶには、そこに仕事がなければなりません。働く場所を地域にたくさん確保することが大切です。	地場産業を育てる	地元企業支援、農業や漁業の安定・高度化。
	観光を振興する	地方には観光に有利な地域がたくさんあります。
	企業や工場を誘致する	仕事の確保に効果絶大です。
❸住みやすいまちをつくる 暮らしやすい、子育てしやすい町には人が集まります。	安定した行政サービス	学校、病院、安全なまちなど。
	子育て支援	保育サービスの充実など。
❹人を呼ぶ 人を呼ぶための受け入れ態勢を整えます。	住宅の確保	安心・安全な住まいを提供します。
	地方大学の活性化	大学生は4年間の住人で、定住候補者でもあります。
❺インフラを整備する 今よりずっと多い人口に合わせて用意された施設。広域に多くの人が住んでいる前提のライフライン。これらから発生するムダを見直すことも必要です。	公共施設の統廃合	居住区を再編、集中し、行政サービスを行いやすくします。
	コンパクトシティ	

●投票率の下落
住民の政治参加の貴重な場であるにもかかわらず、地方選挙の投票率は下落し続けている。また、政治分野における男女共同参画の不平等（「女性ゼロ議会」は地方議会全体の14％、国会議員に占める女性割合は衆議院9.7％・参議院27.4％）、無投票当選の増加、議員の高齢化などにより政治家が高齢男性に偏重している問題も存在する。このような状況は日本の民主主義の危機とも言える。

●リコール（解職請求）
地方自治はより積極的な住民の参加ができるように、住民に直接請求権があたえられているが、その1つが首長や議員などのリコール（解職請求）である。
2023年9月24日、神奈川県真鶴町の町長（当時）に対するリコールが成立し、町長は失職している。ここでは町政の刷新を求める民意が反映された。

◆維新の会が首長と地方議員600人以上を達成

今回は日本維新の会・大阪維新の会が躍進し、前半は選挙前の倍となる124議席を獲得、後半は東京で行われた区市町議会議員選挙で70人の候補者のうち67人が当選しました。その結果、首長と地方議員が非改選も含めて774人となり、日本維新の会の馬場伸幸代表が掲げた「首長・地方議員600人以上」の目標を達成しました。

また、大阪府外で党公認の首長が初めて誕生するなど、全国政党化を目指す維新の会にとって大きな弾みとなりました。

◆人口減少に悩む地方に重い課題

地方自治体はそれぞれ深刻な問題を抱えています。その大きな原因は、人口減少です。人口減少によって生活・行政サービスの縮小が進み、少子高齢化・後継者不足による廃業で地域経済は大きな打撃を受けています。地域経済の衰退は、雇用機会の減少、生活利便性の低下、居住環境の悪化など問題を深刻化させます。また、2023年4月に行われた統一地方選挙では1250人もの立候補者が無投票で当選を決めました。議員の仕事に魅力がなくなってきていることや議員に対する興味関心が薄れてきていることが理由としてあげられます。無投票当選は住民にとっては民意が反応されなくなること、当選者にとって自信の評価がわからなくなってしまうことといったデメリットがあります。

雇用創出や子育て支援などを通して地方創生に取り組むことを通して、これらの問題解決を行っていくことが各自治体の課題です。

解説のポイント

4年に1度の統一地方選挙が実施される	日本維新の会・大阪維新の会が躍進	ますます重要となる地方創生の取り組み

社会 人口

日本と世界の人口問題

こども家庭庁が発足し、看板作成のための習字を手にする子どもたちと岸田首相。

どうすれば少子化を止められるの？

◆人口の推移と将来予測

政府が発表した2022年の新生児の人数は約77万人で、統計を始めた1899年以降で最少となりました。1人の女性が15〜49歳の間に産む子どもの数の平均を示す「合計特殊出生率」は1.26で、2005年の数値と並んで過去最低の水準となり、少子化に歯止めがかからない状況です。

日本の年間の出生者のピークは1949年の約270万人であり、その人たちが親となった第二次ベビーブーム期である1971〜74年には毎年約200万人以上が生まれていました。それ以降は年々減少する傾向を示しており、2020年には約84万人にまで減りました。これは1973年と比べると4割程度にしかすぎません。

国立社会保障・人口問題研究所の推計では、日本の人口は2056年には9965万人となり、1億人を割ると予測されています。子どもや生産年齢人口（15歳〜64歳）の減少が著しく、社会への影響が心配されます。

●都道府県別合計特殊出生率

順位	都道府県	合計特殊出生率
1	沖縄県	1.70
2	宮崎県	1.63
3	鳥取県	1.60
4	島根県	1.57
4	長崎県	1.57
⋮	⋮	⋮
43	埼玉県	1.17
43	神奈川県	1.17
45	北海道	1.12
46	宮城県	1.09
47	東京都	1.04

（2022年）

●ベビーブーム
出生率が急激に上昇する現象。戦後の1947年-1949年の第一次ベビーブーム期、1971年-1974年の第二次ベビーブーム期がある。

日本の人口年齢構成

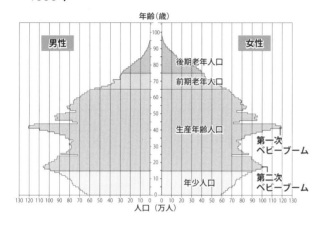

1990年

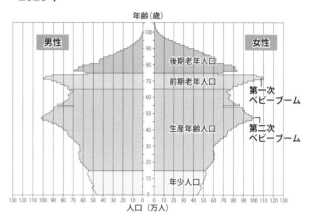

2020年

参考： 国立社会保障・人口問題研究所ホームページ

　30年で人口ピラミッドの形は大きく変わった。40歳前後だった第一次ベビーブームの人たちが70歳前後になり、高齢者が激増した。それとは対照的に、15歳未満の子どもが75歳以上の高齢者よりも少ない。また、子どもだけでなく、生産年齢人口のうち40歳より下の人が相当少なくなっている。
　親世代の人口が減り、そのため子の世代の少子化が加速するマイナスのスパイラルが始まっているようだ。

●出生力
人口において子孫が生み出される頻度や傾向を数量的に水準として表したもの。

●バブル崩壊
土地や株式などの資産価値が、経済の実態以上に上昇することをバブル経済という。日本では1989年前後に見られたが、バブルが崩壊した後は株価・地価が50％以上下落し、金融機関は多額の不良債権を抱えて経営不振に陥った。また企業は低コストでの資金調達が困難となり、設備投資が減少し、日本経済は長い不況になった。

◆止まらない少子化と人口減少

　少子化の原因は未婚化・晩婚化の進展や夫婦出生力の低下などが考えられます。日本では男女が結婚してから子どもが生まれる場合が多いため、結婚しない人たちの割合や、結婚時の夫婦の年齢が子どもの出生数に影響します。

　バブル崩壊後、日本経済は長期にわたって低迷し、若年者が正社員として就職することが難しい時期が続きました。立場が不安定で給料の少ない非正規雇用労働者として働くしかない人にとっては、結婚や子を養う経済力を持つことが難しい状況でした。ほかにも、結婚や子どもを持つことの価値観の変化、家族規模の縮小など、さまざまな社会的背景があるといわれています。

　30〜34歳の未婚率は、1980年は男性が約21％・女性が約9％でしたが、2020年にはそれぞれ47％・35％まで上昇しています。また、初婚年齢の推移を見ると、1980年の平均初婚年齢は男性27.8歳・女性25.2歳でしたが、2020年にはそれぞれ31.0歳・29.4歳へと上昇し、晩婚化が進んでいることがわかります。

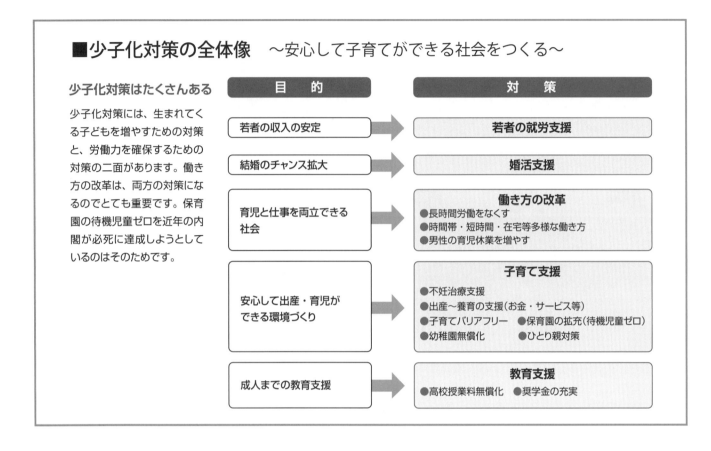

■少子化対策の全体像　〜安心して子育てができる社会をつくる〜

少子化対策はたくさんある

少子化対策には、生まれてくる子どもを増やすための対策と、労働力を確保するための対策の二面があります。働き方の改革は、両方の対策になるのでとても重要です。保育園の待機児童ゼロを近年の内閣が必死に達成しようとしているのはそのためです。

目的	対策
若者の収入の安定	**若者の就労支援**
結婚のチャンス拡大	**婚活支援**
育児と仕事を両立できる社会	**働き方の改革** ●長時間労働をなくす ●時間帯・短時間・在宅等多様な働き方 ●男性の育児休業を増やす
安心して出産・育児ができる環境づくり	**子育て支援** ●不妊治療支援 ●出産〜養育の支援（お金・サービス等） ●子育てバリアフリー　●保育園の拡充（待機児童ゼロ） ●幼稚園無償化　●ひとり親対策
成人までの教育支援	**教育支援** ●高校授業料無償化　●奨学金の充実

◆異次元の少子化対策

　2023年の年頭会見で、岸田首相は、少子化問題は待ったなしの課題であるとして「異次元の少子化対策」を取っていくと表明しました。同年6月に「こども未来戦略方針」を発表し、その具体的な方針が明らかになりました。政府は2028年度までに年3.5兆円を投じ、加速する少子化に歯止めをかけたいと考えています。

　方針内容で際立つのは、児童手当についてです。所得制限を撤廃し、支給年齢を中学生から高校生まで引き上げることで、子育て世帯の基礎的な経済支援を強化すると発表しました。そのほかにも、保育施設の利用条件の緩和や、育児休業の給付金・手当の増額、出産の保険適用などの方針が盛り込まれています。

　しかし、このような取り組みを行うためのお金をどこから確保するのかはまだ決定されていません。岸田首相は増税は行わないとしながらも、医療・介護などの社会保障費の伸びをおさえ、その範囲内で新たに徴収する「支援金制度」でまかないたいと述べています。しかし、どの程度社会保障費が節約できるのか、新たな支援金制度はどのようなものなのかについても決まっていません。政府は年末までに結論を出す方針であり、今後も是非をめぐって議論が続くと考えられます。

●こども家庭庁
2023年4月に発足した新しい行政機関。今まで厚労省が行っていた保育・母子保健・児童虐待対策や、内閣府が行っていた子育て支援・少子化対策などを一元化し、子どもを取り巻く社会問題に対して対策を進め解決するために内閣府に設置された。

●子ども未来戦略方針の概要

児童手当	所得制限を撤廃。支給期間を高校生までに延長。第3子以降の支給額の見直し。
教育	高等教育の無償化を拡大。奨学金の返済負担を緩和。卒業後、収入に応じて返済する授業料後払い制度の導入。
出産	出産費用の保険適用。
働き方	パート従業者や自営業等を対象に支援のあり方を検討。
住宅	子育て世帯の公営住宅等への優先入居。子ども数に応じた住宅ローンの金利優遇。
育休	男性の育休取得率の引き上げ。両親で育休取得した場合、育児給付金を手取り10割相当に引き上げ。短時間勤務やテレワーク等の働き方や企業支援の検討。
保育	「こども誰でも通園制度（仮称）」の創設。児童数あたりの保育士を増加。

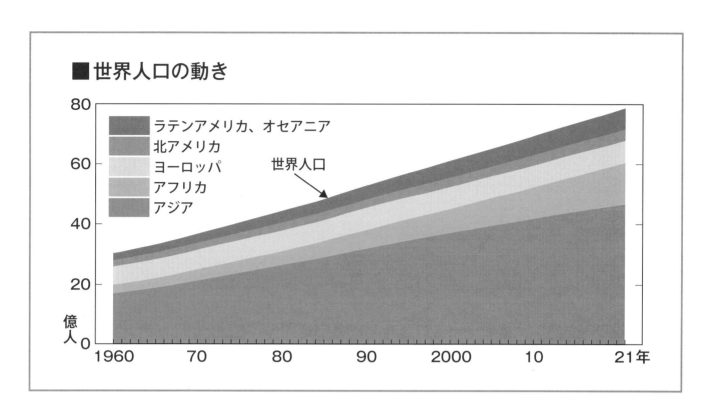

■世界人口の動き

凡例:
- ラテンアメリカ、オセアニア
- 北アメリカ
- ヨーロッパ
- アフリカ
- アジア

世界人口

（縦軸：億人　0、20、40、60、80）
（横軸：1960、70、80、90、2000、10、21年）

●世界の人口の多い国

順位	国名	人口
1	インド	14億2,860万人
2	中国	14億2,570万人
3	米国	3億4,000万人
4	インドネシア	2億7,750万人
5	パキスタン	2億4,050万人
6	ナイジェリア	2億2,380万人
7	ブラジル	2億1,640万人
8	バングラデシュ	1億7,300万人
9	ロシア	1億4,440万人
10	メキシコ	1億2,850万人
11	エチオピア	1億2,650万人
12	日本	1億2,330万人
13	フィリピン	1億1,730万人
14	エジプト	1億1,270万人
15	コンゴ共和国	1億230万人

国連人口基金（UNFPA）の
「世界人口白書2023」から

◆世界の人口問題

　日本から世界に目を向けると、別の人口問題が見えてきます。国連の統計によると、世界全体の人口は80億人に到達しており、2050年には97億人に増加するものと予測されています。このような人口増加は、医療の発達や経済発展による食料事情の改善などにより死亡率が下がった一方で、出生率は高いままであったことが理由だとされています。急激な人口増加（人口爆発）はアジアやアフリカなどの発展途上国で多く見られ、貧困層の増加、資源不足、環境問題の悪化などに繋がる懸念があります。

　一方で、世界人口の3分の2は、女性1人あたりの生涯出生率が2.1人を下回る低出生率の状況にあります。国連によると、今後2050年までの間に、日本をはじめとする高所得国と高中所得国（いわゆる先進国）での人口増加は65歳以上のみで起こるとされており、少子高齢化が懸念されています。世界の国々はそれぞれ異なる人口問題を抱えているという理解に立ち、全ての人々が繁栄できる世界を実現するための解決策を追求する必要があるでしょう。

解説のポイント

止まらない
少子高齢化で
人口減少が進む

「異次元の少子
化対策」が
検討されている

アジア、アフリカ
地域で人口爆発
が起こっている

日本が目指す脱炭素社会

オトンルイ風力発電所（北海道幌延町、時事通信フォト）。

どうすれば脱炭素社会を実現できるの？

◆温室効果ガスの排出をなくす

　脱炭素とは、地球温暖化の原因となる温室効果ガスの排出をなくすことをいいます。日本では、2050年までに温室効果ガスの排出を国全体として実質ゼロにする、カーボンニュートラルの実現を目指すことを2020年に当時の菅義偉内閣総理大臣が宣言しています。

　では、どのようにカーボンニュートラルを実現するのでしょうか。そのための最大の取り組みがCO_2（二酸化炭素）の排出削減です。CO_2の排出元は電力と非電力に分けられ、電力は主に石炭や天然ガスを燃やす火力発電所からの排出になります。非電力は、運輸や工場などの産業分野、家庭からの排出となり、ガソリンなどを燃やして走る自動車もその中に含まれます。CO_2の排出削減は、電力や非電力の利用を減らすだけでなく、CO_2を排出しない技術を活用したり、植林などでCO_2の吸収を盛んにしたりすることも取り組みのひとつとなります。

●ニュートラル
英語で「中立」を意味する。カーボンニュートラルとは、CO_2の排出と吸収を差し引きして実質的にゼロにすること。

●原発「40年ルール」変更
原子力はCO_2を排出しないエネルギーだが、原発（原子力発電所）の安全性という課題がある。日本では法律で、原発の運転は運転開始から原則40年までで、さらに最長20年まで延長できる（つまり最長60年まで）とされてきたが、2023年5月の国会で60年に審査などでの停止期間を加えて運転できるように法改正された。

■ 日本の総発電量における一次エネルギー構成

エネルギー構成とは、国の総発電量のうち、どのエネルギーによってどのくらいの電力をまかなっているのかを比率で示したもの。日本の一次エネルギー構成は天然ガスや石炭による火力発電の割合が高い。先進国で再生可能エネルギーの割合が高いのはカナダ（70％近く）、40％を超えているのがスペインやドイツなど。

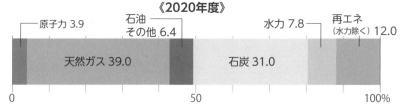

《2020年度》

原子力 3.9 ／ 石油その他 6.4 ／ 天然ガス 39.0 ／ 石炭 31.0 ／ 水力 7.8 ／ 再エネ（水力除く）12.0

■ 日本の一次エネルギー自給率は11.3％

日本のエネルギー自給率は2020年度では11.3％で、OECD38か国中37位と低い水準になっている。その原因は、石炭や天然ガスのほとんどを輸入にたよっているため。2010年度の時点では20％ほどあった自給率は、東日本大震災の影響で原子力発電所が停止した結果、6％近くまで低下した。近年では再生可能エネルギーの導入が少しずつ進み10％程度まで回復している。しかし、国際情勢の悪化などで安定してエネルギーを供給できなくなるおそれがあり、エネルギーの自給は日本の大きな課題である。

我が国のエネルギー自給率

2010年度 自給率 20.2％／2011年度 自給率 11.6％／2012年度 自給率 6.7％／2013年度 自給率 6.5％／2014年度 自給率 6.3％／2015年度 自給率 7.3％／2016年度 自給率 8.1％／2017年度 自給率 9.4％／2018年度 自給率 11.7％／2019年度 自給率 12.1％／2020年度 自給率 11.3％

一次エネルギー：石油、天然ガス、石炭、原子力、太陽光、風力などのエネルギーのもともとの形態
エネルギー自給率：国民生活や経済活動に必要な一次エネルギーのうち、自国内で産出・確保できる比率

■ 2050年までに日本が目指す カーボンニュートラル

電力部門では脱炭素電源の拡大、非電力部門では、脱炭素電源による電化、水素、燃やしても CO_2 が発生しないアンモニアの活用、メタネーション（水素と CO_2 からガスを合成）、合成燃料、バイオマス等を通じた脱炭素化を進めることが必要。それでもなお排出される化石燃料による CO_2 は、植林や DACCS（大気中から直接 CO_2 を回収・貯留する技術）などを用いて、実質ゼロを実現していくこととしている。

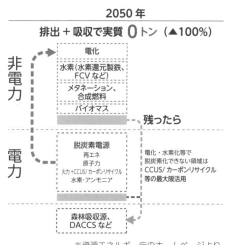

2050年
排出＋吸収で実質 0トン（▲100％）

非電力：電化／水素（水素還元製鉄、FCV など）／メタネーション、合成燃料／バイオマス → 残ったら

電力：脱炭素電源（再エネ／原子力／火力＋CCUS/カーボンリサイクル／水素・アンモニア）　電化・水素化等で脱炭素化できない領域はCCUS/カーボンリサイクル等の最大限活用

森林吸収源、DACCS など

※資源エネルギー庁のホームページより

● CCUSとカーボンリサイクル

CCUSとは、CO_2 を回収、利用、貯留することによって CO_2 の排出を減らすこと。火力発電所で排出された CO_2 を回収したり、CO_2 をセメントなどの工業製品に利用したり、地層内に隔離したりする。カーボンリサイクルとは、回収した CO_2 を再利用して排出を抑制すること。

◆CO_2削減に役立つ科学技術

電力については、日本の再生可能エネルギーの割合は20％程度なので、残りの約80％を CO_2 が排出されないエネルギーに切り替える必要があります。なかでも水素は、水などさまざまな再生可能な資源から取り出せるうえ、使用する際に二酸化炭素を排出しないことから次世代のエネルギーと考えられています。

非電力の CO_2 削減については、まず、EV（電気自動車）が一般的になってきたことがあげられます。また水素エネルギーも注目され、家庭用燃料電池や燃料電池自動車は実用化されました。コストが高いことが今後の課題です。

さらに実用化が進んでいるのはバイオマス（生物資源）を原料としたバイオ燃料です。その原料は、植物や動物から採れる油脂や木材のチップ、廃油などで、京都市では家庭や飲食店から回収した廃食用油を加工して、ごみ収集車やバスの燃料にしています。

解説のポイント

2050年までに温室効果ガスの排出を実質ゼロに	日本の発電は石炭や天然ガスに頼っている	脱炭素社会に向けた新しい科学技術実用化を

コロナ禍がもたらした社会の変化

大勢の人が行き交う渋谷。新型コロナウイルス感染症の感染症法上の位置付けが5類に移行。感染対策は個人判断に。

ポストコロナ時代、社会はどう変化？

◆新型コロナ、2類相当から5類へ

　新型コロナウイルス感染症（COVID-19）の感染症法上の位置付けが2023年5月8日、これまでの2類相当から季節性インフルエンザと同じ5類に移行しました。これにより、感染対策は個人の判断に委ねられることになりました。

◆5類になって何が変わった？

　政府として日常における基本的感染対策を一律に求めることはなくなり、感染症法に基づく陽性者及び濃厚接触者の外出自粛は求められなくなりました。飲食店に対する営業時間短縮などの要請もなくなりました。水際対策も原則的に廃止され、海外から日本への観光客も戻りつつあります。

　また、それまでは感染の疑いがある場合、限られた医療機関でしか受診することができませんでしたが、多くの医療機関で受診が可能となりました。2024年4月1日からは、ワクチン接種は、現在の全額公費負担から自己負担に変わります。

●感染症法

感染症の予防及び感染症の患者に対する医療に関する法律。感染症を予防し、流行を抑えるために、ウイルスや細菌といった病原体を、感染の広がりやすさや症状の重症度など危険度に応じて5段階に分類したもの。1〜5類まであり、1類にはもっとも危険度が高いとされている病原体（エボラ出血熱、ペストなど）が指定されている。類型に応じて、法律で可能な措置が変わる。

●マスク着用

マスクの着用については、5類に移行する以前の2023年3月13日から原則として個人の判断に委ねるとし、文部科学省は学校ではマスク着用を求めないことを基本としている。ただし、医療機関への受診や高齢者施設への訪問時など、感染防止対策にマスクが効果的な場面もあるとしている。

5類感染症になって何が変わるのか？

■経済の停滞と働き方改革

　新型コロナウイルス感染症の流行により各国ともにGDPの成長率は大幅に落ち込んだ。2020年の日米欧主要国の実質GDP成長率は、過去のオイルショック、リーマンショックを上回り、二度の世界大戦、世界恐慌時の影響に匹敵するほどの低下だった。

　人々の働き方や暮らし方に対する意識も大きく変わった。リモートワークの導入がかつてなく進展し、人々が職場に近い都市圏に暮らす必要性が低下し、地方移住への関心も高まった。

　本社の移転やサテライトオフィスの設置、リモートワークと休暇との融合を図るワーケーションの導入など新しい試みが行われている。新型コロナがもたらした人々の意識の変化は、こうした取り組みを加速させる契機となった。

　政府では、総務省がデジタル活用の推進に取り組んでおり、業務の効率化や円滑化、生産性の向上、コスト削減等のためのデジタル化を、コロナ禍をきっかけに進めていく方針だ。

	新型インフルエンザ等感染症	5類感染症
発生動向	・法律に基づく届出等から、患者数や死亡者数の総数を毎日把握・公表 ・医療提供の状況は自治体報告で把握	・定点医療機関からの報告に基づき、毎週月曜日から日曜日までの患者数を公表 ・様々な手法を組み合わせた重層的なサーベイランス（抗体保有率調査、下水サーベイランス研究等）
医療体制	・入院措置等、行政の強い関与 ・限られた医療機関による特別な対応	・幅広い医療機関による自律的な通常の対応 ・新たな医療機関に参画を促す
患者対応	・法律に基づく行政による患者の入院処置・勧告や外出自粛（自宅待機）要請 ・入院・外来医療費の自己負担分を公費支援	・政府として一律に外出自粛要請はせず ・医療費の1割〜3割を自己負担　入院医療費や治療薬の費用を期限を区切り軽減
感染対策	・法律に基づき行政が様々な要請・関与をしていく仕組み ・基本的対処方針や業種別ガイドラインによる感染対策	・国民の皆様の主体的な選択を尊重し、個人や事業者の判断に委ねる ・基本的対処方針等は廃止。行政は個人や事業者の判断に資する情報提供を実施
ワクチン	・予防接種法に基づき、特例臨時接種として自己負担なく接種	・令和5年度においても、引き続き、自己負担なく接種 ○高齢者など重症化リスクが高い方等：年2回（5月〜、9月〜） ○6か月以上のすべての方　　　　　：年1回（9月〜）

出典：厚生労働省

●リモートワーク（テレワーク）
通勤途中や社内での感染を予防するために、自宅で仕事をする人が増えた。企業がリモートワークを導入するメリットとしては、①コスト削減②離職防止と人材獲得③事業継続性の確保、などがあげられる。デメリットとしては、セキュリティ対策の難しさなどがある。一方、従業員側のメリットとしては、①ワークライフバランスの改善②業務効率の改善③育児・介護・病気療養との両立、などが挙げられる。デメリットとしては、社内コミュニケーション不足、仕事とプライベートの切り分けが難しいといわれる。

◆ポストコロナ時代

　ポストコロナとは、「コロナ禍の後」のことを指しています。アフターコロナと同意で使われることも多い言葉です。

　新型コロナウイルス感染症の拡大により、人の移動制限や、経済活動の停滞、感染症対策を徹底するための新たな生活様式への適応など、わたしたちの生活にはさまざまな変化が生じました。リモートワークやWebを活用した会議、オンライン教育、遠隔でのスポーツ観戦や文化芸術の鑑賞など、今までにはなかった多様な働き方、学び方、楽しみ方が生まれ、社会に浸透してきました。

◆学校のポストコロナはどうなるのかな？

　学校では、一人一台のコンピューターが当たり前になりました。その本格的な運用がこれから期待されています。授業ばかりではなく事務や連絡でも使われますが、デジタル教材もこれまで以上に活用されると予想されています。また、オンライン教育や外国の学校との交流など多様な教育も生まれていくことでしょう。

解説のポイント

新型コロナ、2類から5類へ移行	マスクの着用及び感染対策は個人の判断に	ポストコロナ時代、急速に進む働き方改革

九州にBRTひこぼしラインが開通！

日田彦山線BRT
祝 ひこぼしライン開業
2023年8月28日 JR九州

JR九州の日田彦山線でBRT車両が走る路線が開通。開通式の様子。

どうしてBRTでなければいけなかったの？

　2017年7月の九州北部豪雨によって被災したJR日田彦山線添田駅～夜明・日田駅間が、「日田彦山線BRTひこぼしライン」として2023年8月28日に開業しました。

　BRTとは、Bus Rapid Transit（バス・ラピッド・トランジット）の略称で、バス高速輸送システムともいいます。BRTひこぼしラインでは、被災した鉄道路線の一部をバスの「専用道」に整備し直し、その他の部分は、「一般道」を走行します。専用道がある分だけ渋滞が避けられ、さらに一般道を走ることで地域住民が利用しやすくなるという特長があります。

　このように自然災害からの復興にBRTを導入した例は、東日本大震災で被害を受けた気仙沼線（宮城県）などがあります。

　新幹線やリニア中央新幹線などの路線が全国に広がる一方で、地域の生活圏で活躍するこうした交通機関は、地域経済や高齢者などの地域住民の生活を支える重要な役割を担っています。

●平成29年7月九州北部豪雨
2017年7月5日から6日にかけ、線状降水帯の影響で、同じ場所に猛烈な雨が継続して降ったことから、九州北部地方で記録的な大雨となり、九州の年間の平均降水量の約3分の1が約9時間の間に降ってしまった。福岡県朝倉市や大分県日田市等で24時間降水量の値が観測史上1位の値を更新し、さまざまな被害が発生した。

● LRT
LRT（Light Rail Transit）は、専用軌道を走る路面電車の進化形とも呼べるもの。揺れが少なく路面スレスレの低床車両のため、高齢者や車椅子、ベビーカーの子育て家族に利用しやすい。2023年、宇都宮市でも開業した。

日田彦山線 BRT ひこぼしラインの路線

彦山駅と宝珠山駅の間が専用路線になる。住民は生活圏から途切れなく移動できるので便利だ。
2023年秋からは、水素で動く小型の燃料電池バス（FCバス）の実証運転が始まる予定。

宇都宮ライトレールが 2023 年 8 月 26 日に開業

2023年8月26日、宇都宮駅東口―芳賀・高根沢工業団地間の約14.6kmを結ぶ宇都宮芳賀ライトレール線（芳賀・宇都宮LRT）が開業した。国内で新しい路面電車が開通するのは75年ぶりだ。

路線図

『物流の2024年問題』3者の心配と解決方法

トラック事業者	荷主	一般消費者
心配 ↓	**心配 ↓**	**心配 ↓**
・長距離輸送など今まで通りの輸送ができにくくなるかも ・運転手を多く採用したいが、人材難なので確保できなくなるかも	・必要なときに必要なものが届かなくなるかも ・輸送を頼みたくても断られる可能性があるかも	・当日や翌日配達の宅配サービスが受けられなくなるかも ・水産品や青果物などの新鮮なものが手に入れられなくなるかも
解決案 ↓	**解決案 ↓**	**解決案 ↓**
荷主と協力して予約システムを導入してトラックの待ち時間を減らすなど。	トラック運転手の健康を考慮して、運賃を上げたり、高速料金の負担にも応じたりなど。	不在などによる再配送を減らすために、宅配ボックスやロッカーを利用する。まとめ買いで配送回数を減らすなど。

●ロードプライシング

大気汚染やエネルギー消費を少なくするために、交通渋滞の解消や自動車交通量の抑制が課題となっている。ロードプライシングとは、特定の道路や地域、時間帯に自動車利用者に対して課金することによって交通量の抑制を図る施策のひとつだ。交通渋滞や大気汚染の著しい地域に導入することが考えられている。東京湾アクアラインでは、土日・祝日の特定の時間帯に交通が集中し激しい渋滞が発生しているので、国土交通省などは、2023年7月22日から、東京湾アクアライン上り線（木更津→川崎方面）で特定の時間帯の割引料金を変動させる社会実験を開始した。

◆「物流の2024年問題」は私たちにも影響がある？！

2024年4月からトラックの運転手など自動車運転者の過重労働を防ぐ目的で、年間時間外労働の960時間上限規制が適用されます。施行されることで、トラックの運転手の労働時間が短くなり、輸送能力が不足し、「モノが運べなくなる」可能性が心配されています。これを「物流の2024年問題」といいます。

国の「持続可能な物流の実現に向けた検討会」によると、何も対策を行わなかった場合には、営業用トラックの輸送能力が2024年には14.2%、さらに2030年には34.1%不足すると試算しています。運転手の長時間の拘束による健康被害などは軽減される一方で、こうしたことが私たちのくらしとも無縁ではなく、さまざまな影響があると考えられています。

解説のポイント

BRT・LRTは、地域の人々の生活を支える貴重な交通手段	物流の2024年問題は私たちの生活を変える必要もある	渋滞解消や自動車利用の抑制は環境保護につながる

日本の食料安全保障

「世界のパンかご」と呼ばれる広大なウクライナの小麦畑。

日本における食料確保の問題点とは？

◆私たちの生活は輸入した食料に支えられている

　2023年5月26日に農林水産省が発表した2022年度の「食料・農業・農村白書」は、ロシアによる侵攻でウクライナの穀物生産量が大幅に落ち込み、小麦などの国際価格が高止まりし、「食料安全保障上のリスクが増大している」という指摘がなされました。

　白書では、アメリカ農務省のデータからウクライナの穀物を分析し、22年7月から23年6月までの1年間の生産量が、前年の同じ時期に比べて36％も減り5500万トンになるとの見通しを示しました。そのため、国際価格は侵攻直後の22年3月に過去最高値を記録、その後に下落しましたが、米国やカナダの不作なども影響し、依然として高い水準で推移しています。

　食料を安定的に供給していく上で転換点を迎えているとして、野村哲郎農水相（当時）は、「日本は海外に依存しすぎだった。できるだけ日本で生産するよう構造転換を進めたい」と話しました。

●小麦価格の高騰

2022年にロシアの軍事侵攻を受けたウクライナは、当時世界第5位の小麦輸出国だった。そのため世界中の小麦需給に影響を与えたが、一方で、ウクライナから小麦を輸入していない日本でも価格が急騰した。これは小麦の国際価格の上昇によるものだ。小麦は主にシカゴ商品取引所という国際商品市場で取引されており、この相場が国際標準価格となる。日本の主な小麦輸入先であるアメリカやカナダの農家も、この国際標準価格をもとに小麦の出荷価格を確定するため、世界全体の小麦価格が上昇することになる。そのほかに、全世界で発生している干ばつなどによる生産量の低下も小麦価格に影響を与えている。

■品目別の自給率（2021年度）

牛乳・乳製品
63%
（27%）

肉類
53%
（8%）

果実
39%

小麦
17%

野菜
80%

鶏卵
97%
（13%）

魚介類（食用）
59%

いも類
72%

米
98%

海藻類
68%

大豆
7%

資料：農林水産省「食料需給表」より
※数値は品目別自給率（重量ベース）。（ ）内は、飼料自給率を考慮した値。

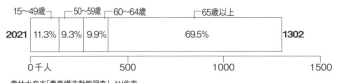

■食料自給率（2021年度）

	カロリーベース	生産額ベース
食料自給率	38%	63%
食料国産率	47%	69%

自給率が97%の鶏卵や53%の肉類も、ニワトリや家畜の飼料が外国からの輸入に頼っていることを考慮すると低い数字になる。

年齢別基幹的農業従事者数の割合（個人経営体）（2021年）

	15〜49歳	50〜59歳	60〜64歳	65歳以上	
2021	11.3%	9.3%	9.9%	69.5%	1302

0千人　　　500　　　1000　　　1500

農林水産省「農業構造動態調査」より作表
※基幹的農業従事者とは自営農業に主として従事した世帯員

◆外国の動向に左右される日本の食料事情

　日本の食料自給率は高いとは言えません。2023年5月に開催されたG7広島サミットでは食料安全確保が主要な議題の一つとなりましたが、日本の食料自給率はG7で最も低いという事実があります。私たちの食生活は一見豊かに見えますが、小麦だけでなく、生きるために必要な多くの食料を諸外国の動向にゆだねているということになります。

　外国からの食料供給は、紛争・異常気象・災害など、世界中の要因に左右されます。一見すると日本には関係がなさそうな他国のできごとの影響を受けることもあるのです。日頃から食料供給に関するリスクについて考え、影響を軽減させるための対応策を検討・実施する必要があります。

◆国内農業の現状と今後のあり方

　日本の食料自給率が低くなっているのは、農業生産が伸び悩んでいるのが要因です。農業を継ぐ若い人が少なくなって高齢化が進み、農業従事者数が減少しているのが大きな課題となっています。

　こうした状況を打開するために、担い手の確保、農地の集積や集約化、情報通信技術（ICT）を使った「スマート農業」による生産性の向上や輸出拡大が期待されています。

● G7および振興・途上国の共同声明
今回の広島サミットでは、G7および南半球中心の振興・途上国が共同で、初めての声明となる「強靭なグローバル食料安全保障に関する広島行動声明」を出した。手頃な価格で栄養がある食料は生きるための基盤であることを再確認し、世界的な食糧安全保障の危機に対応するための緊密な協力の重要性を共有した声明だ。

解説の ポイント

世界の出来事が日本の食料確保に影響する

日本の食料自給率はG7で最も低い

国内農業の活性化が今後の課題

SDGsと日本の課題

NPO法人が運営する「こども食堂」。スタッフや資材の確保、必要としている家庭へ周知させることなど課題も多い（群馬県）。

SDGs、今、私たちにできることは?

◆ 日本にも課題が多いSDGs

　SDGs（持続可能な開発目標）とは、2015年の国連サミットにおいてすべての加盟国が合意した「持続可能な開発のための2030アジェンダ」の中で掲げられた、よりよい社会の実現を目指すための目標です。2030年までに達成する17の目標と169のターゲットから構成されています（詳しくは92〜95ページ参照）。

　大きな目標として、地球上の「誰一人取り残さない」ことを誓っています。SDGsには発展途上国のみならず、先進国である日本にも積極的に取り組むべき課題がたくさんあります。

◆ 国会議員の女性比率が先進国最低の日本

　目標5「ジェンダー平等を実現しよう」について、世界経済フォーラム（WEF）は、日本の取り組みに関して報告書を発表しました。それによると、2023年版の日本のジェンダー・ギャップ指数は146カ国中125位で、前年の116位から9ランクダウンし、2006年からの調査開始以来過去最低になりました。

●持続可能
「ずっと続けていける」という意味。「持続可能な社会」とは、地球の環境を壊さず、資源も使いすぎず、貧しい人や弱い人を犠牲にせず、未来の世代も美しい地球で平和に豊かに、ずっと生活をし続けていける社会のことを意味している。

●ジェンダー、ジェンダー・ギャップ
ジェンダーとは、生物学的な性差（性別）ではなく、社会的・文化的な性差のこと。「女性だから家にいて子育てをしなければならない」とか、「家の収入を得るのは男性である夫」などという考えは、ジェンダーによる差別・不平等になる。ジェンダー・ギャップとはジェンダー間の格差のこと。

■日本の8つの優先課題

日本はSDGsのなかでも次の8つを優先的に取り組むとされています。子どもの貧困対策、ジェンダー平等などの他にも、生物多様性、環境保護など世界に向けた先進国なりの科学技術を活用したより高いレベルでの役割、農山漁村や地方創生、コロナ禍で経験した感染症対策や自然災害の多い日本特有の取り組みも重視されています。

優先課題1	あらゆる人々が活躍する社会・ジェンダー平等の実現
優先課題2	健康・長寿の達成
優先課題3	成長市場の創出、地域活性化、科学技術イノベーション
優先課題4	持続可能で強靱な国土と質の高いインフラの整備
優先課題5	省・再生可能エネルギー、防災・気候変動対策、循環型社会
優先課題6	生物多様性、森林、海洋等の環境の保全
優先課題7	平和と安全・安心社会の実現
優先課題8	SDGs実施推進の体制と手段

■諸外国の国会議員に占める女性の割合 (内閣府のHPより)

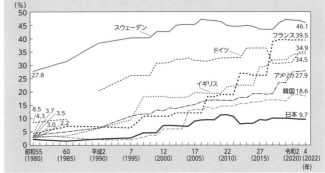

■諸外国の国会議員に占める女性の割合は、この30年で大幅に上昇。
■日本の国会議員（衆議院議員）に占める女性の割合は国際的に非常に低い水準。

■主な国のジェンダーギャップ指数順位 2023年

1位	アイスランド	15位	イギリス	105位	韓国
2位	ノルウェー	30位	カナダ	107位	中国
3位	フィンランド	40位	フランス	124位	モルディブ
4位	ニュージーランド	43位	アメリカ	125位	日本
5位	スウェーデン	79位	イタリア	126位	ヨルダン
6位	ドイツ	102位	マレーシア	127位	インド

■(内閣府のHPより)
※ 指数は、「経済参画」「政治参画」「教育」「健康」の4つの分野で点数の評価を付けて順位を決めている。

●相対的貧困

同じ国・地域にくらす他の人と比較すると収入・資産が少なく、生活も厳しく不安定な状態のこと。日本の子どもの相対的貧困率は14.0%（2018年）。

●昆虫食のメリット・デメリット

メリット: 肉や魚よりもタンパク質が多いなど栄養価が高い。飼料や水が少なくても育つので温室効果ガスの排出が少ない。廃棄する部分が少ないので食品ロスも少ない。

デメリット: 人によっては食欲がわかない。エサや飼育環境によっては安全性が心配。エビやカニなどの甲殻類のようなアレルギー反応を起こす場合がある。

「経済参画」「政治参画」「教育」「健康」の4分野別にみると、特に「政治参画」が世界最低レベルの138位です。日本は国会議員の女性比率が先進国の中では最低です。また、大学への女性の進学の割合が低いことも順位を下げた大きな一因となっています。

◆日本の子どもは7人に1人が相対的貧困

OECD（経済協力開発機構）の調査によると、日本の相対的貧困率は先進国の中では最も高いとされています。こうしたことから、近年、無料または低額で食事を提供する「子ども食堂」が全国各地にたくさんできています。このような活動は、SDGsの目標1「貧困をなくそう」や目標2「飢餓をゼロに」、目標3「すべての人に健康と福祉を」と関連する取り組みだといえます。

◆昆虫食が食料危機を救う？

未来のタンパク源とも称される昆虫食も、目標2「飢餓をゼロに」や目標13「気候変動に具体的な対策を」に貢献できるとされています。

しかし、2022年に徳島県の高校で民間企業が開発したコオロギパウダーを使った料理が給食に出されたことが報じられると、賛否の声があがりました。昆虫は食べても安全なのかと疑問視する意見や、食糧問題の解決策になるという賛成意見もありました。

解説のポイント

SDGsにおける日本の課題を考える	日本は、ジェンダー・ギャップ指数や相対的貧困率が先進国の中で最低の順位	SDGsの目標達成には私たち一人ひとりが参加できることもある

日本の島の数、6,852から14,125に

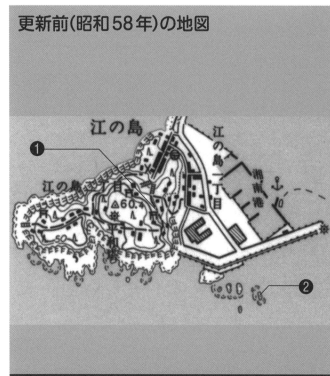

更新前（昭和58年）の地図

1983年の地図では江の島（神奈川県藤沢市）には2つの島がある。

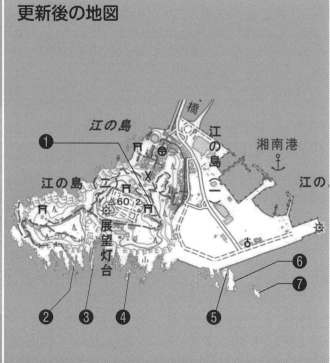

更新後の地図

現在の地図では江の島には7つの島がある。

どうして島の数が変わったの？

◆測量技術が進歩し、詳細な地図から島を数え直した結果

　2023年に、国土地理院は、日本にある島は全国で14,125島に上り、これまでに公表していた6,852島の2倍以上に増えたと発表しました。島の定義は、日本が1996年に同意した「海洋法に関する国際連合条約」に基づき、「自然に形成された陸地であって、水に囲まれ，高潮時においても水面上にあるものをいう」とされています。一方で、島の数え方には国際的な取り決めがありません。よって、今回は地図に描画された陸地のうち、自然に形成された周囲0.1km以上の陸地が島として数えられました。

　測量技術の発達によって、昔よりも詳細な地図が作られるようになったため、条件に合った島の数が多くなっているところがありました。例えば神奈川藤沢市の江の島は従来2つの島として数えられていましたが、今回は7つの島として数えられました。

　一方、自然に形成された土地ではない人工の島とされたのが、神奈川県横浜市の八景島です。反対に自然に形成された島である

●国土地理院
国土交通省に付属する、日本で唯一の国家地図作成機関のこと。土地の測量、地図の作成、測量法の所管に関する事務などを実施している。

●測量技術の進歩と影響
　人工衛星による測量や航空機によるレーザー測深、無人の測量装置であるAOV（自律型海洋観測装置）の潮位観測などにより、湾岸線の正確な形状が把握されている。また、2022年に国土地理院は、高知県の面積は7,103.03km^{2}であり、8年前より0.88km^{2}縮小していると発表した。これにより、国から配分される普通交付税の金額が、高知県内の各自治体の面積の増減によって変わることになった。

日本の代表的な島

■さまざまな文化や歴史、国土の重要な役割を担う多くの島々

　日本が有する島々の中には、本州や北海道など広く知られている土地のほかにも、海によって隔たれているために独自の進化を遂げた固有の生物や古来の人々の伝承・神話を有する特徴的な島、経済や国防においても重要な役割を担う島が数多くある。

種子島 （たねがしま） 鹿児島県
・室町時代にポルトガル人が漂着し、鉄砲が伝来した。
・島の東南端には、日本唯一の実用衛星打ち上げ基地「種子島宇宙センター」がある。

与那国島 （よなぐにじま） 沖縄県
・日本の最西端に位置している。

■島の多い都道府県一覧

都道府県	島の数
長崎県	1,479
北海道	1,473
鹿児島県	1,256
岩手県	861
沖縄県	691
宮城県	666
和歌山県	655
東京都	635
島根県	600
三重県	540

海に面していない栃木県、群馬県、埼玉県、山梨県、長野県、岐阜県、滋賀県、奈良県は島の数はゼロになっている。湖沼等にある陸地は島に含まれないので、例えば洞爺湖の中にある中島も島としては数えられない。

●低潮線
干満により海面が最も低いときの陸地と水面の境界線のこと。海図に記載された低潮線が、わが国の管轄海域の起点となる。

択捉島 ●最北端
国後島
エサンベ鼻北小島のあった場所
色丹島

択捉島 （えとろふとう） 北海道
・日本の最北端に位置している。
・本州、北海道、九州、四国に次いで大きな面積を有する。

佐渡島
隠岐諸島
対馬　沖ノ島　小豆島
五島列島　　　淡路島
天草諸島
種子島
屋久島
奄美大島
与論島
徳之島
与那国島 ●最西端
沖縄島
西表島

沖ノ鳥島 （おきのとりしま） 東京都
・日本の最南端に位置している。
・同島の基線を根拠とした排他的経済水域は、国土面積より大きい約42万kmにも及ぶ。保全のため、750億円を投じて周囲がコンクリートで防護されている。

沖ノ鳥島 ●最南端

沖ノ鳥島［提供：水産庁］

小笠原諸島

南鳥島 ●最東端

南鳥島 （みなみとりしま） 東京都
・日本の最東端に位置している。

ことが確認されたのが、長崎県の長崎空港がつくられた箕島（みしま）でした。

　島は日本の領土・領海の起点となる重要なものですが、国土地理院は、島の数が倍増しても領土・領海の広さに影響はないとしています。

◆消えた島・・・ 国境離島と排他的経済水域（EEZ）の保全

　2019年に、北海道猿払村（さるふつむら）の沖合約500mの地点にあった無人島「エサンベ鼻北小島（はなきたこじま）」が消失したと海上保安庁が発表しました。波や流氷の浸食で削られてしまったのです。同島はオホーツク海に位置し、日本の領海を決定する基線となる国境離島の一つでした。

　国境離島とは、国境近くに位置する、領海や排他的経済水域の外縁を根拠付ける離島のことです。多くは本土から離れた島ですが、日本の管理する海域の根拠となる役割を担っているため、政府は2010年に成立した低潮線保全法を基に、低潮線（海岸線）を保全し、活動の拠点となる施設整備を行っています。

解説の ポイント

日本の島の数が2倍に増加	正確な調査は測量技術の進歩によるもの	EEZの権益を守る国境離島の維持

社会
国際・外交

イギリスのTPP加盟

環太平洋経済連携協定（TPP）への参加を正式表明したイギリスのトラス国際貿易相（当時）。[イギリス政府提供]

イギリスのTPP参加でどうなるの? QUADとは?

◆イギリスのTPP加入に合意

　2023年3月31日、TPP（環太平洋経済連携協定）はイギリスの加入を認めることで合意しました。これにより、TPP加盟国の国内総生産（GDP）は世界全体の約15%に拡大することになります。

　イギリスは2016年の国民投票でEU（欧州連合）離脱を決め、2021年1月には完全に脱退しました。その後のイギリスはヨーロッパ以外の国との経済成長を図る戦略を打ち出し、アジア圏との貿易拡大を目標としています。日本は、これをきっかけにトランプ政権時代に離脱したアメリカのTPPへの復帰を働きかけたい考えです。

◆今後の課題

　TPPには現在、中国や台湾、エクアドル、コスタリカ、ウルグアイが加入を申請しています。特に今後議論が生まれるのが、中国と台湾の加入を認めるかどうかです。

　2021年9月に中国と台湾は、ほぼ同時にTPPへの加入を申請し

● TPP（環太平洋経済連携協定）
アジア太平洋地域で、交易品の関税に加え、サービスや投資の相互の自由化を進め、幅広い分野で共通ルールをつくる経済連携協定。日本・ベトナム・マレーシア・シンガポール・ブルネイ・カナダ・メキシコ・チリ・ペルー・ニュージーランド・オーストラリアの11カ国が参加し、2023年までにすべての国で発効している。発足時から参加している11か国以外で加入が認められるのはイギリスが初めて。

● FTAとEPA
FTA（自由貿易協定）は国・地域間で関税をなくし、物やサービスの移動についての互いの自由化の合意。
EPA（経済連携協定）はFTAの内容に加えて、人の移動や投資、知的財産権の保護などを含む自由化の合意。

TPP（環太平洋経済連携協定）とは？

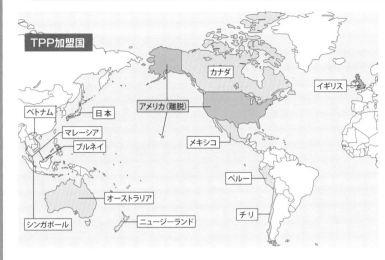

TPP加盟国

加盟国 11か国（発足時）
日本／ベトナム／ブルネイ／ペルー／チリ／オーストラリア／ニュージーランド／シンガポール／マレーシア／カナダ／メキシコ

離脱　　　**加入申請**
アメリカ　　中国／台湾／エクアドル　ほか

●概要
太平洋を囲む多国間で輸出・輸入の際にかかる関税撤廃を中心に、人やサービスの移動を含む包括的な自由化をめざす。

●特徴
地域的なまとまりが緩く国情のちがうさまざまな国が参加していることで、広く通用する貿易のルールを世界に示す存在となる可能性がある。

●発効
アメリカの離脱後、2018年3月に11か国が署名。過半数6か国が承認した6か月後に発効する仕組み。2018年12月には国内手続きを終えたメキシコ、日本、シンガポール、ニュージーランド、カナダ、オーストラリアの6か国で、2019年1月にはベトナム、2021年9月にペルー、2022年11月にマレーシア、2023年2月にチリ、同年7月にブルネイで、TPPが発効した。

●インフラ
インフラストラクチャーを略した言葉で、電気・ガス・水道や、道路、ネットワークなど、生活するうえで必要不可欠な施設やサービス、機関、制度、仕組みなどをさす。

●「D10」構想
G7である日本、アメリカ、イギリス、イタリア、カナダ、ドイツ、フランスに、韓国、オーストラリア、インドを加えた民主主義（Democracy）10カ国の枠組み。中国に対抗することも提唱している。

●クアッドとオーカスの関係図

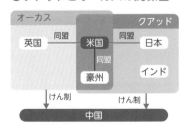

ました。その際、中国は台湾が加入することに強く反発しました。しかしその一方で、一部の参加国からは中国の貿易などに対する姿勢に不信感も出ています。

◆イギリスはクアッド（QUAD）への参加も表明

クアッドとは、英語で「4つの」を意味します。中国を牽制する枠組みで、日本、アメリカ、オーストラリア、インドが参加しています。「自由で開かれたインド太平洋」の実現に向け、ワクチン、インフラ、気候変動、新興技術などの幅広い分野での協力を進めています。2020年10月には東京で外相会合が開催されました。イギリスも、民主主義陣営10カ国が協力して中国に対抗する「D10」構想を提唱していることから、この枠組みに参加する意向を表明しました。

◆中国に対する危機感、AUKUSの発足

2021年9月、オーストラリア、イギリス、アメリカの3か国によるパートナーシップ、オーカス（AUKUS）が発足しました。こちらはクアッドに比べてより軍事・安全保障を前面に打ち出しているのが特徴で、中国の太平洋進出や軍事的な脅威に対抗するための同盟です。

解説のポイント

イギリスの EU離脱と アジアへの接近	中国、台湾の 加入がTPPの 今後の課題	クアッドやオーカス など中国を 意識した枠組み

AIは人間を超えるのか？

対話型人工知能（AI）「チャットGPT」のパソコン画面

チャット GPT（ChatGPT）は悪者なのか？

◆禁止や注意を呼びかける国も

　生成AIとして話題性の高い「ChatGPT」は、アメリカのベンチャー企業OpenAI（オープン・エーアイ）によって開発された対話型AI（人工知能）です。2022年11月に一般公開されると、利用者はわずか2ヶ月で世界中で1億人を突破、現在も利用者は急速に増え続けています。

　その一方でイタリアでは2023年3月、膨大な個人情報の収集が法律に違反するとして一時的に使用を禁止しました。また、G7広島サミットの首脳声明では、「民主的価値に沿った信頼できるAIを達成するために国際的な議論を進める」として、年内に国際ルールをまとめるとの目標を定めました。

　6月2日には、日本政府の個人情報保護委員会が、チャットGPTのサービスを提供するOpen AIに対し、個人情報の取得方法に懸念があるとして、6月1日付で注意喚起をしたと発表しました。チャットGPTは便利なのか、危険なのか、世界中で議論されています。

●ベンチャー企業
新しい技術・製品・サービスを開発しており、かつ設立が数年以内の若い会社のこと。GoogleやAppleも最初はベンチャー企業だった。

● AI(人工知能)
人間のように知能を持ったコンピューターのこと。インターネット上にある情報を高速で集めたり、人間が覚え込ませたりすることで進化していく。最近では写真や音声、絵やイラストなどを作り出すものもある。

文部科学省が夏休みを前にガイドラインを示す

　2023年7月4日、文部科学省は、チャットGPTなどのAI（生成AI）によって作り出されたものを、小中学校の教育現場で活用する際の暫定的なガイドライン（大まかな指針）を公表しました。

　ガイドラインでは、「生徒同士の議論を深める目的で活用させること」などとし、思考力や創造性などへの影響も考えられることから「限定的な利用から始めることが適切」としています。その一方で、活用できる例として「アイデアを出す途中段階で足りない視点を見つける目的での活用」「英会話の相手として活用すること」「生成AIを用いたプログラミングを行うこと」などが記載されています。

文部科学省が示す小中学校での生成AI活用

やっていいこと	やってはいけないこと
生成AIの回答を教材として、その性質や限界などを生徒に気づかせる。	情報活用能力が十分育成されていない段階で自由に使わせる。
足りない視点を見つけ、議論を深める目的で活用させる。	コンクールの作品、レポートなどで自己の成果物として提出。
英会話の相手、外国人児童生徒らの日本語学習に活用。	教員がコメントすべき場面で、教師の代わりに安易に生成AIから生徒に回答させる。

※文科省のガイドラインから抜粋

私はチャットGPTといって、AIの一種です。

あなたは何？

イラスト内の質問と回答は実際のチャットGPTのものではありません。

●対話型AIを巡る懸念点

信頼性	文章の内容に間違いが含まれている恐れ
情報管理	質問内容を通じて個人情報や機密情報が流出する恐れ
学習	自ら考えて文章を書かないことで思考力育成を阻害する恐れ

●チャットボット
人間のようにチャットを通じてコミュニケーションをするコンピュータプログラムのこと。例えば、「お店の営業時間は何時からですか？」と質問したら、「私たちは午前9時から営業しています」と答えてくれるようなもの。チャットボットに人工知能を加えて自分で学習できるようにしたものの1つがChatGPTとなる。

◆ どのようなしくみでどういう働きをするのか？

　「GPT」は、日本語では「生成型事前学習トランスフォーマー」といいます。文章を「生成」する能力と、インターネット上の膨大な文字情報を「事前学習」する能力を活用しています。これによりあらゆる種類の文章を作り出し、人間がパソコンやスマートフォンに入力した質問や要求に対して、自然な言葉で応答することが可能になりました。

　しかし、その内容が文章を書いた人に断りなく集めたものだったり、フェイクニュースといわれる間違った情報やうその情報だったりする場合もあるといわれています。選挙などで立候補者のうその情報を流して選挙妨害をしたり、質問した人に悪い行動を勧めたりすることに利用される事件も起きているとされています。その一方で、短時間で膨大な情報を集められるので、文章作成、調査、アイデア出しなどの助けとなり、人間の仕事の大幅な効率化につながるとも期待されています。

　AI（人工知能）は、チャットボットなど、すでに私たちの暮らしの中にも活用されていますが、本物そっくりの画像や音声も作ることができるほど進化しています。危険性を恐れて技術の進歩を遅らせる心配もあり、チャットGPTは人間とAIの関係をあらためて考えさせるきっかけにもなっています。

解説のポイント

チャットGPTはAI（人工知能）の一種	仕事や教育で活用が期待されるが使用に規律が必要	G7広島サミットでも活用ルールづくりの検討が話題に

トルコ・シリア地震

トルコ・シリア地震で崩壊した建物（AFP＝時事）。

どれぐらい被害が大きかったの？

◆死者は5万6千人以上

2023年2月6日に、トルコ南部を震源とするマグニチュード7.8と7.5の地震が相次いで発生。震源がシリアとの国境付近だったこともあり、シリア北部でも被害が出ました。地震による死者は、トルコで5万人以上、シリアは6千人以上と、両国で計5万6千人を超えています。建物の倒壊などによる経済的損失（被害額）はトルコだけでも1040億ドル（13兆円以上）にのぼるということです。

◆復興に向けた国際社会からの支援

2月6日同日には、国連総会でグテーレス事務総長が国際社会の団結と支援を呼びかけました。トルコ政府が支援を要請したNATO(北大西洋条約機構)の加盟国を含め、45か国からすぐに協力の申し出があったといいます。しかし、復興はすぐには進まず、地震発生から3か月がたった時点でも、テントやコンテナ式の仮設住宅での避難生活を余儀なくされる被災者も少なくありませんでした。特に10年以上内戦

日本とトルコの歴史的な関係

1. エルトゥールル号遭難事件

1890年にトルコ(当時はオスマン帝国)から日本に派遣された史上初の使節団が軍艦エルトゥールル号に乗ってやってきた。使節は明治天皇に拝謁したのちにトルコへ帰国しようとしたが、台風による強風と高波の影響により和歌山県の串本町の沖で沈没。乗組員587名が死亡または行方不明となり、沿岸の住民や日本政府などの救援活動により69名が救助され、日本の軍艦によってトルコへ送還された。

エルトゥールル号模型(朝日新聞社/時事通信フォト)

2. 日本人を救ったトルコの航空機

1985年に、イラン・イラク戦争の最中にイラクのサダム・フセイン大統領の声明により、イランの首都テヘランから脱出できずに215人の日本人が孤立。撃墜の危険があり安全が確保できないため、日本からの救援機は派遣が見送られた。すると、トルコから2機の救援機が到着し、日本人全員がイランから脱出できた。トルコが助けに来てくれた理由は、エルトゥールル号の遭難事故における日本人の献身的な救援を忘れていなかったからだという。

3. 東日本大震災での支援活動

東日本大震災が発生すると、トルコ政府は32名からなる支援・救助チームを派遣、約3週間に及ぶ活動を行った。これは、支援・救助チームとしては最長期間となる。

4. 近年の交流

現在でも、トルコ人は一般的に非常に親日である。エルトゥールル号事件から120年目となる2010年には「2010年トルコにおける日本年」を実施、国内各地で186の日本・トルコ交流事業を行った。2015年には日本とトルコの合作映画「海難1890」が両国政府の支援のもとに制作され、日本とトルコで公開された。

●人工衛星「だいち2号」

陸域観測技術衛星2号「だいち2号」は、災害の状況や森林の分布の把握、地殻変動の計測などさまざまな分野で活用されている。地上の変化を数cm単位の精度で検出できる性能があり、特に地震や火山活動の詳細な分析などに力を発揮している。

が続くシリアでは、国の助けが及びにくく復興は困難を極めています。

◆ トルコ・シリア地震のエネルギー

東北大学などの分析によれば、最初のマグニチュード7.8の地震のエネルギーは阪神・淡路大震災の約22倍とされています。宇宙航空研究開発機構(JAXA)が運用する地球の陸域観測技術衛星「だいち2号」の観測データをもとに、国土地理院が被災地を分析した結果、最大約4mも地表の断層にずれが生じていたということで、これは阪神・淡路大震災の約4倍のずれ幅になります。

モロッコ地震

2023年は、トルコ・シリア地震のほかにも、深刻な被害を出した地震が発生している。9月8日深夜、北アフリカのモロッコでマグニチュード6.8の地震が発生し、2000人以上が死亡した。東京大学地震研究所の佐竹健治教授によると、この地震は、アフリカプレート内部の活断層で発生した逆断層タイプの地震であるとしている。また、揺れの強さは最も強いところで震度5強から震度6程度に相当した。

今回の地震による被害が大きかった理由として、①建築物の耐震性の低さ、②地震発生が深夜であったことが挙げられる。地震による被害は、マグニチュードの大きさや揺れの大きさだけによるのではなく、街の作りや山間部等の整備、地震が起きるタイミングなども大きく関係していることがわかる。

解説のポイント

トルコ南部でマグニチュード7.8の地震	トルコ・シリアで計5万人以上が死亡した	トルコと日本は歴史的に深い友好関係にある

富雄丸山古墳で歴史的な発見

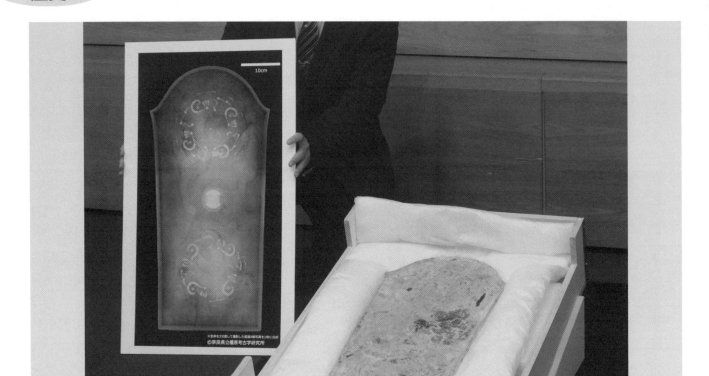

富雄丸山古墳／出土した盾形の銅鏡

古墳で見つかるものは、なぜ貴重なの？

◆ 古墳時代の技術力の高さがわかる

　奈良市の西部にある、古墳時代の４世紀後半につくられたとされている富雄丸山古墳で、長さ約60cm・幅約30cm程度の青銅でできた盾のような形をした鏡と、２mを超える鉄の剣が出土しました。鏡も剣も、過去に日本で発掘されたことがないほど巨大なもので、国宝級の発見として注目されています。

　鏡の裏には細かく複雑な模様があり、剣は刃の部分が波打つような形をしているなど、東アジア各地の遺跡で発掘されている「蛇行剣」と呼ばれるタイプのもので、当時つくられた蛇行剣のなかで国外のものと比べても最長のものです。鏡も剣も製作するのは非常に難しく、当時の工芸の技術力の高さを物語っています。

◆ 大和朝廷の謎に迫る空白の４世紀

　富雄丸山古墳が築造された古墳時代には、奈良盆地周辺を中心に大王と各地の豪族たちによって、大和朝廷と呼ばれる国家のような体制が整えられていたとされています。ただ、富雄丸山古墳

●豪族と古墳

古墳時代には日本のいろいろな地域で、その地域を支配し財産を蓄えたり、軍隊をもったりする豪族がいた。豪族や大王（のちの天皇）などの墓が古墳で、日本各地に残っている。古墳は、円形をした「円墳」、四角形の「方墳」、円墳と方墳をくっつけたような「前方後円墳」など、その形による呼び方もある。

●副葬品

墓に葬られた人と一緒に埋められた品物を副葬品という。今回、富雄丸山古墳で見つかった鏡と剣は、実際に戦争で使われた可能性は低く、埋葬された人を邪悪なものから守るためのものだったとも考えられている。

岩宿遺跡からは黒曜石の打製石器が見つかりましたが、それまでの「日本には旧石器時代はなかった」という考えが覆される大発見でした。野尻湖遺跡といえば、ナウマンゾウの化石で知られています。

三内丸山遺跡には竪穴住居の跡が残っています。大森貝塚からは、大量の貝がらや当時のゴミ、土器や土偶などが発掘されました。

板付遺跡や登呂遺跡には稲作が行われていた痕跡があり、吉野ヶ里遺跡は周りをほりで囲まれた環濠集落の跡として広く知られています。

稲荷山古墳の出土品からは大和朝廷の支配が関東地方まで広がっていたことが推測されます。世界文化遺産に登録された百舌鳥・古市古墳群は、世界最大級の墓といわれる大山〔大仙〕陵古墳（仁徳天皇陵古墳）でも有名です。

| 三内丸山遺跡 |
| 縄文　青森県 |

古代の主な遺跡や古墳

旧石器時代の主な遺跡
（約1万3000年以上前）
岩宿遺跡、野尻湖遺跡など

縄文時代の主な遺跡
（約1万3000年前から
2500年前ぐらいまで）
大森貝塚、三内丸山遺跡など

弥生時代の主な遺跡
（約2500年前から
3世紀なかばごろまで）
板付遺跡、登呂遺跡、
吉野ヶ里遺跡など

古墳時代の主な遺跡
（3世紀後半から7世紀ごろまで）
稲荷山古墳、
百舌鳥・古市古墳群など

| 野尻湖遺跡 |
| 旧石器　長野県 |

| 岩宿遺跡 |
| 旧石器　群馬県 |

| 稲荷山古墳 |
| 古墳　埼玉県 |

| 大森貝塚 |
| 縄文　東京都 |

| 百舌鳥・古市古墳群 |
| 古墳　大阪府 |

| 板付遺跡 |
| 弥生　福岡県 |

| 登呂遺跡 |
| 弥生　静岡県 |

| 吉野ヶ里遺跡 |
| 弥生　佐賀県 |

に葬られた豪族がどのような人物だったのか、また、なぜこれほど大きな鏡や剣を副葬品にしたのか、といったことについては専門家の間でも意見がわかれるところです。

古墳時代や大和朝廷については、文字で記した記録が少ないためわからないことが多いです。特に、3世紀ごろの邪馬台国（卑弥呼）の時代と、5世紀に中国の宋の歴史書に出てくる「倭の五王」の時代の間は、文献が残っていないため「空白の4世紀」などといわれています。そういったこともあって、古墳を発掘調査して当時のことを知ることが重要になるわけです。

◆古墳時代の前後を確認

3世紀から7世紀にかけて古墳がつくられたことから、その時代を古墳時代と呼びます。時代の並び順でいえば、縄文土器がつくられた縄文時代、そのあとの米づくりが本格的に広まった弥生時代の次が、古墳時代となります。そして、古墳時代の後半にあたる592年に推古天皇が即位してから100年あまりの時代を、現在の明日香という場所に都をおいたことから飛鳥時代といいます。古墳時代と飛鳥時代が少し重なっていることも覚えておきましょう。

解説のポイント

| 過去最大の
鉄の剣が出土 | 古墳を調べて
大和朝廷の
謎を解く | 弥生時代の
次に来るのが
古墳時代 |

吉野ヶ里遺跡で石棺墓が出土

今回見つかった、石のふたを取った後の石棺墓（8月5日佐賀県吉野ケ里町）。

弥生時代の有力者の墓なのか?

◆人骨も副葬品は発見されなかった

　2023年4月、佐賀県の吉野ヶ里遺跡で新たに石棺墓（せっかんぼ）が発見されました。発見されたのは、それまで神社の敷地があったため、手がつけられていなかった「謎のエリア」とされていた場所です。今回、神社の移転に伴い調査が可能となりました。石棺墓の長さは約180ｃm、幅は約35ｃm、高さは30ｃmほどで、なかは土で埋まっていました。佐賀県では6月5日から、墓の石の蓋（ふた）を開けて中身を調べましたが、葬（ほうむ）られた人物の人骨や副葬品（ふくそうひん）などは発見されなかったということです。

　人骨や副葬品が見つからなかった一方で、石棺墓の内部には赤色の顔料が塗られていた跡がありました。さらに、墓穴が大きく見晴らしのよい丘に単独で埋葬（まいそう）されていたことなどから、佐賀県は邪馬台国と同時期の弥生時代後期（2世紀後半から3世紀中ごろ）の有力者の墓であると発表しています。また、石蓋には「×」や、かたかなの「キ」に似た線刻（石に刻まれた線）が、数多く見られま

●石棺墓
石でつくられた棺に遺体を収めるタイプの墓のこと。吉野ヶ里遺跡では、丸い大型の土器に遺体を収める甕棺墓（かめかんぼ）も出土している。

■吉野ヶ里遺跡はどこにあるの？

　吉野ヶ里遺跡は、佐賀県神埼郡吉野ヶ里町と神埼市にまたがる吉野ヶ里丘陵にある弥生時代の遺跡。複数の集落や約600mにもなる墓地など日本最大級の規模を誇る遺跡として知られている。1986年から佐賀県教育委員会によって発掘調査が開始された。現在では、国の特別史跡「吉野ヶ里遺跡」の保存と活用を図るために吉野ヶ里歴史公園として整備されている。発掘された遺構（柱が立っていた跡や、古代の人々が住んでいた形跡）を元に、集落を囲む柵や物見櫓（やぐら）など弥生時代当時の建物が復元されている。特に濠（ほり）で囲まれた環濠集落は有名。

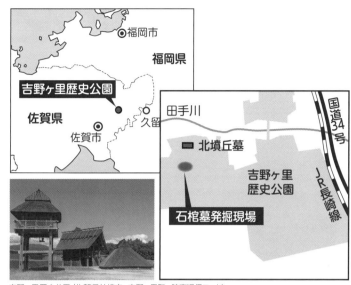

吉野ヶ里歴史公園（佐賀県神埼市・吉野ヶ里町、時事通信フォト）。

■邪馬台国の謎とは

　吉野ヶ里遺跡が、古代に日本にあった邪馬台国の跡だとする説がある。中国の歴史書「三国志」の「魏志」倭人伝のなかには、邪馬台国や、その女王である卑弥呼のこと、中国から邪馬台国への道のりなどが記述されている。

　邪馬台国が日本のどこにあったかは、「魏志」倭人伝にある邪馬台国への道のりの解釈のしかたによって、専門家の間でも九州説と畿内説（近畿地方の奈良県近辺）に分かれている。九州北部は地理的に近い中国と古くから交流があったと推定できる一方で、畿内には邪馬台国と同年代にできたとされる古墳が多く残っていて、なかには卑弥呼の墓とされるものもある。

　どこにあったかということ以外にも、邪馬台国については「魏志」倭人伝にしか記録が残っていないため、はっきりしたことはわかっていない。

●顔料
紙や布、器、建物といった人工物に色をつける材料のうち、金属や土、石油などを合成してつくられたものを顔料という。

●有力者の墓
一般的に、国や地域の有力者は、庶民の集団墓地とは違う場所に単独で大きな墓を築くことが多い。吉野ヶ里遺跡にも甕棺墓の集団墓地もあるが、今回の石棺墓はそれとは離れたところに単独で存在している。

した。佐賀県では今後、線刻のほか、石棺内にあった土のなかに埋葬されていた人が着ていた服の痕跡がないかなど、詳しく分析を進めていきます。また9月以降、さらに範囲を広げて発掘調査を行います。

　今回の発見と邪馬台国との関連が考えられる根拠は、赤色顔料の存在です。邪馬台国では、赤色顔料である「朱」と密接な関係があり、これまでも、邪馬台国の所在地と考えられる場所と朱の産地とを結び付けて考える説があるからです。

◆謎の多い弥生時代後期

　吉野ヶ里遺跡が最も大きくなったのは弥生時代後期とされていますが、その時代の墓が見つかることは少なく、有力者の墓に至っては今まで発掘されていません。今回出てきた石棺墓が弥生時代後期の有力者の墓ということになれば、それは古代史の謎を解き明かすうえで大きな発見といえるでしょう。

解説のポイント

吉野ヶ里遺跡で新たな石棺墓が発掘される	石棺墓から副葬品は発見されず	弥生時代後期のようすを知る手がかりに

新たにフィンランドがNATOに加盟

フィンランドのハービスト外相（左、当時）と米国のブリンケン国務長官が握手。中央はNATOのストルテンベルグ事務総長。

なぜフィンランドが新加盟したの？

◆ 31か国目の加盟国に

　2023年4月、NATO（北大西洋条約機構）は、本部ブリュッセルで会合を開催し、フィンランドを31か国目の加盟国とすることを決めました。2022年5月にフィンランドとスウェーデンがNATOに加盟を申請していましたが、今後はフィンランドに続きスウェーデンが32番目の加盟国となる見通しです。それまで両国は、観光業など経済面でロシアとの結びつきが強いことなどから中立政策をとっていましたが、2022年2月のロシアのウクライナ侵攻を受け方針を転換しました。

◆東京にNATOの連絡事務所を設置する話も

　2023年7月の会議で、アジア初となるNATOの連絡事務所を東京に新設することが協議されましたが、中国との関係を重視するフランスの反対により見送られることになりました。今後も東京事務所設置の検討は続けられるということです。

●全会一致の合意
NATOの北大西洋条約第10条では、NATO加盟国の1か国でも反対すれば新加盟国を認めないことを定めている。今回のフィンランドとスウェーデンの新加盟に最後まで難色を示していたのはトルコ。トルコは両国が、トルコからの分離・独立をめざすクルド人武装組織を支援していると非難していた。そこで、フィンランドとトルコの間で、クルド人武装組織について一定の合意が成立し、新加盟の承認に至った。その後、スウェーデンの新加盟についてもトルコは同意している。

●EU

　ヨーロッパでは、2度の世界大戦で多大な犠牲を払った反省から欧州全体を統合する動きが生じた。まず1952年に、主に資源やエネルギーの獲得をめぐって戦争が起きたことから、それらを共同管理する欧州石炭鉄鋼共同体（ECSC）ができる。さらに欧州経済共同体（EEC）、欧州原子力共同体（EURATOM）と計3つの共同体が発足。それらが統合して欧州共同体（EC）となり、1993年にECは欧州連合（EU）となった。

　現加盟国は、アイルランド、イタリア、エストニア、オーストリア、オランダ、キプロス、ギリシャ、クロアチア、スウェーデン、スペイン、スロバキア、スロベニア、チェコ、デンマーク、ドイツ、ハンガリー、フィンランド、フランス、ブルガリア、ベルギー、ポーランド、ポルトガル、マルタ、ラトビア、リトアニア、ルーマニア、ルクセンブルクの計27か国。

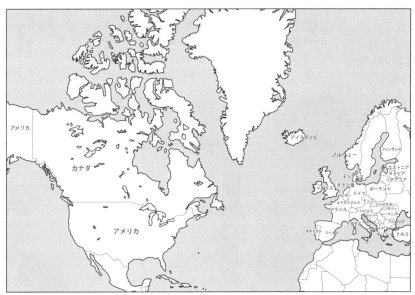

●NATO

　第2次世界大戦後、資本主義陣営のいわゆる西側諸国と、ソビエト連邦（現ロシア）を中心とする社会主義陣営の東側諸国との東西対立が激化していくなか、西側諸国によって集団防衛、危機管理、協調的安全保障を中核目標に結成されたのがNATO（North Atlantic Treaty Organization）で、現加盟国は31か国。

　1949年の原加盟国はアイスランド、アメリカ、イギリス、イタリア、オランダ、カナダ、デンマーク、ノルウェー、フランス、ベルギー、ポルトガル、ルクセンブルクの12か国。1990年までにギリシャ、スペイン、ドイツ、トルコが加わり、1999年にチェコ、ハンガリー、ポーランド、2004年にエストニア、スロバキア、スロベニア、ブルガリア、ラトビア、リトアニア、ルーマニア、2009年にアルバニア、クロアチア、2017年にモンテネグロ、2020年に北マケドニア、2023年にフィンランドが加盟した。

●加盟国による武力の反撃
NATOの北大西洋条約第5条には、加盟国の1か国でも武力攻撃を受けた場合、全加盟国に対する攻撃とみなして武力で反撃することが明記されている。

◆イギリスのEU離脱から3年

　2020年1月末にイギリスがEUから離脱して3年が経ちました。その背景には、EUへの巨額の拠出金や、EUによる規制や法律が多く、イギリス独自の政策や経済活動がとりにくいことなどがありました。また、ほかのEU諸国からの移民がイギリス国民の仕事を奪っていることも理由のひとつでしたが、EU離脱後のイギリスでは、EU諸国からの移民が減ったことによる労働力不足といった問題などが生じており、離脱は間違いだったと半数以上の国民が回答する世論調査もあるといいます。

解説のポイント

ロシアの ウクライナ侵攻の 影響で方針転換	スウェーデンも NATOに 加盟申請中	イギリスは EU離脱で 社会に混乱も

日本と世界の宇宙開発

JAXAが選出した2人の日本人宇宙飛行士候補。

宇宙開発の状況は？

◆ 14年ぶりに日本人宇宙飛行士候補が誕生

　JAXA（宇宙航空研究開発機構）が行っていた宇宙飛行士候補者募集に、2023年2月、男女2人の合格が決まり、14年ぶりとなる日本人宇宙飛行士候補が生まれました。男性の合格者は世界銀行に勤める諏訪理さん（46歳）で、女性は医師の米田あゆさん（28歳）です。28歳での合格は若田光一さんらに並ぶ史上最年少タイです。今後はアメリカが中心になり日本をはじめとした各国の宇宙機関が協力して月探査を行う「アルテミス計画」に参加し、日本人初の月面への着陸を果たす可能性があります。

◆リュウグウの砂から生命の源が見つかる

　2014年に打ち上げられたJAXAの小惑星探査機「はやぶさ2」が、2018年に小惑星リュウグウに到達し、2019年にリュウグウの表面の物質(サンプル)の採取に成功したことは大きな話題となりました。2023年3月には、北海道大学や九州大学などの研究チームが、サンプルから生命の遺伝に関わる物質「RNA」にふくまれる、「ウラシル」と

● RNAと塩基
生物の遺伝情報はDNAに保存されているが、その情報を伝達する物質がRNA。塩基はDNAやRNAを構成する物質の一つで、RNAはアデニン、グアニン、シトシン、ウラシルの4種類で構成されている。

● イプシロン
日本が開発しているH3ロケットより小型のロケット。2022年10月に6号機を打ち上げようとしたが、失敗に終わった。後継機の「イプシロンS」を2024年に打ち上げる計画があったが、イプシロン6号機の打ち上げ失敗で、計画の遅れが予想される。

□ 鹿児島県の種子島にある JAXA の宇宙センター

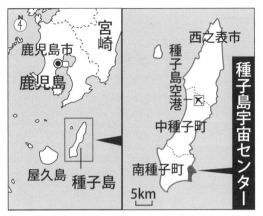

小型月着陸実証機「SLIM（スリム）」などを搭載し、打ち上げられたH2Aロケット47号機（9月7日、鹿児島県・種子島宇宙センター）。

地球がほぼ球形をしていることから赤道付近が最も遠心力が強く働き、ロケットのエネルギー消費が少なくなるため、JAXAのロケット発射場は、日本のうちでは比較的低緯度にある種子島に建設されている。高緯度にあるヨーロッパ22カ国が参加している欧州宇宙機関が、南米ギアナから探査機を打ち上げるのも、同じ理由だ。ちなみに種子島よりも、もっと低緯度の沖縄につくらなかった理由は、ロケットの発射場をつくるときには、まだ沖縄が返還（1972年）されていなかったからだ。

□ 生命の起源が発見された リュウグウのサンプル

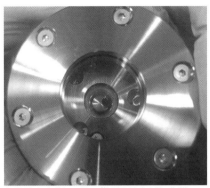

小惑星「リュウグウ」のサンプル（容器中央の黒い物質）。

● X線分光撮像衛星
宇宙に存在するプラズマを、高度なX線の技術を用いて測定する衛星で、それによって宇宙の物質やエネルギーのようすや、天体の進化の謎などを解明する。

呼ばれる塩基を検出したと発表。ウラシル以外に、生命の代謝を助けるナイアシン（ビタミンB3）や、人体にも不可欠なナトリウムも発見されたそうです。

ウラシルやナイアシンの発見は、地球の生命の起源が宇宙からもたらされたという説を後押しすることになります。そうした生命の謎に迫ることも宇宙開発を行う理由のひとつです。

◆ 2023年9月に打ち上げたH2Aロケットの目的は？

2023年9月、H2Aロケット47号機が打ち上げられました。このロケットは、JAXAの小型月着陸実証機「SLIM（スリム）」とX線分光撮像衛星「XRISM（クリズム）」を搭載。「SLIM」は日本初となる月面着陸に挑みます。日本の月面着陸への挑戦は失敗が続いていて、2022年11月にJAXAの探査機「OMOTENASHI（オモテナシ）」が着陸を断念し、2023年4月には民間企業の「iSPACE（アイスペース）」が、自社で開発した月面着陸機「HAKUTO-R」が月への着陸を達成できなかったと発表しています。

◆ H3ロケットは2023年3月に打ち上げ失敗

JAXAと三菱重工業が共同開発した大型ロケット「H3」の初号機が、2023年3月に打ち上げに失敗しました。H3は打ち上げにかかる費用を、従来のH2Aロケットのおよそ半額である50億円にすることをめざす新型ロケット。打ち上げコストを削減して、宇宙開発の国際競争力を向上させるねらいがあります。

ペンシルロケットから始まった日本の宇宙開発
大型ロケット、月面開発へと進み、民間企業も参画へ

◆日本の民間企業による宇宙開発

　JAXAは国立の研究開発機構ですが、日本にはJAXA以外にも宇宙開発関連のビジネスを確立しようとしている民間の会社があります。たとえば、「アストロスケール」という企業はスペースデブリの除去のビジネス化を目標として日本人がつくりました。2024年から実際にスペースデブリの除去に着手する予定です。同じくスペースデブリ除去の事業化をめざす会社として「スカパーJSAT」があります。

　日本人が創業したベンチャー企業「アストロスケール」は、2023年9月22日、アメリカ宇宙軍から軌道上にある人工衛星用の燃料補給衛星の開発を受注したと明らかにしました。燃料の切れそうな人工衛星に宇宙で燃料を補給して寿命をのばしスペースデブリを減らす計画をしています。2026年までには試作機を納入予定です。

◆宇宙望遠鏡

　19世紀には大規模望遠鏡が多数建設され、地上からの天体観測の黄金時代となりました。1957年には、ソビエト連邦による世界初の人工衛星スプートニク1号の打ち上げなど、20世紀中盤からは宇宙望遠鏡の時代となりました。

●スペースデブリ

宇宙ゴミとも呼ばれる、使われなくなった宇宙ロケットや人工衛星の残骸などのこと。重さが数トンになるものもあり、速さは秒速10km弱にもなる。正常に機能している人工衛星や国際宇宙ステーション（ISS）に衝突する危険があるため、除去する必要がある。

□ 日本の民間宇宙開発

　日本にはJAXA以外にも宇宙開発関連のビジネスを目指す民間会社がある。「アストロスケール」や「スカパーJSAT」という企業は、スペースデブリの除去をビジネスにすることが目標だ。

スタートアップ大賞2022 表彰式／スタートアップ大賞を受賞したアストロスケールホールディングスの説明を受ける岸田文雄首相（左から2人目）。

　また2019年5月には、実業家の堀江貴文さんが出資する「インターステラテクノロジズ（IST）」の小型ロケット「MOMO（モモ）」3号機が高度100kmの宇宙空間に到達し、打ち上げに成功した。こうした小型のロケットで小型の人工衛星を打ち上げる事業はビジネスとして成り立つ可能性がある。

□ 玩具メーカーも宇宙へ

　JAXAとタカラトミーなどの共同開発によって生まれた、超小型の変形型月面ロボット「SORA-Q（ソラキュー）」が、2023年9月に打ち上げられたH2Aロケット47号機の小型月着陸実証機「SLIM（スリム）」に搭載された。着陸とともに放出され、変形を開始して走行可能な月面ロボットになる。着陸船や周囲を撮影する任務を担っている。

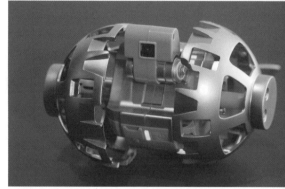

タカラトミーが発売する、変形型月面ロボット「SORA-Q（ソラキュー）」の実大モデル「SORA-Q Flagship Model（ソラキュー フラッグシップモデル）

1955 年	糸川英夫博士がペンシルロケットを開発
1970 年	日本初の人工衛星「おおすみ」の打ち上げに成功
1977 年	気象衛星「ひまわり」を打ち上げる
1982 年	野辺山宇宙電波観測所で 45 メートル電波望遠鏡による観測が始まる
1990 年	秋山豊寛さん、日本人として初の宇宙へ
1992 年	毛利衛飛行士が、日本人初のスペースシャトル搭乗
1994 年	向井千秋飛行士が日本人女性として初の宇宙へ
1999 年	「すばる望遠鏡」が完成
2001 年	「H2A ロケット試験機 1 号機」の打ち上げに成功
2009 年	国際宇宙ステーション(ISS)に日本の実験棟「きぼう」が完成、若田光一飛行士が長期滞在を果たす
2010 年	小惑星探査機「はやぶさ」が帰還
2013 年	「アルマ望遠鏡」の本格運用を開始
2014 年	小惑星探査機「はやぶさ 2」を打ち上げ
2019 年	民間企業の「インターステラテクノロジズ」が作ったミニロケット「MOMO 3 号機」打ち上げに成功
	地球上の 8 つの電波望遠鏡を結合させた国際協力プロジェクトでブラックホールの撮影に成功
2020 年	小惑星探査機「はやぶさ 2」が帰還
2022 年	ＪＡＸＡの探査機「OMOTENASHI (オモテナシ)」が月着陸を断念
2023 年	「イプシロン」打ち上げ失敗
	民間企業の「ｉSPACE (アイスペース)」の月面着陸機「HAKUTO-R」が月への着陸失敗
	「H3 初号機ロケット」の打ち上げに失敗
	「H2A ロケット 47 号機」の打ち上げに成功

前列右が毛利宇宙飛行士　　　1992年

小型ロボットによる月面探査を家庭で疑似体験できる「SORA-Q Flagship Model（ソラキュー フラッグシップモデル）」を手にする宇宙飛行士の野口聡一さん（右）とデザイナーの篠原ともえさん（左）（4 月 13 日）。

1990年に打ち上げられたハッブル宇宙望遠鏡は、宇宙の年齢や拡大速度、新しい銀河の発見などに貢献し、その後打ち上げられたケプラー宇宙望遠鏡は太陽系外惑星を発見。ジェイムズ・ウェッブ宇宙望遠鏡も可視光から赤外線まで幅広い波長で、新たな宇宙の謎に迫ります。日本の「XRISM（クリズム）」では、X線を使用し、ブラックホール、超新星残骸などのX線放射源を研究します。

◆およそ50年ぶりに人を月に送りこむアルテミス計画

1969年に、アメリカ航空宇宙局（ＮＡＳＡ）のアポロ11号が初めて有人月面着陸を果たしました。現在、アメリカは、日本・イギリス・カナダ・オーストラリアなどと共同で、およそ50年ぶりに再び月へ人を送り込もうとしています。その「アルテミス計画」では、有人月面着陸と並行して、月の軌道を周回する宇宙ステーション「ゲートウェイ」の設営も進行。ゲートウェイの建設は2024年以降に行われ、さらに月面に人間が生活できるベースキャンプをつくる予定です。アルテミス計画の先には、火星への有人飛行という大きな目標が待っています。

世界	
1957年	ソビエト連邦（ソ連）が世界初の人工衛星「スプートニク1号」を打ち上げ
1961年	ソ連のガガーリンが人類初の宇宙へ
1969年	アメリカの「アポロ11号」が月面に着陸
1972年	アメリカが「パイオニア10号」を打ち上げ
1977年	アメリカが「ボイジャー1号」を打ち上げ
1981年	アメリカが世界初の再使用型宇宙船「スペースシャトル」の運用を開始
1990年	アメリカが「ハッブル宇宙望遠鏡」を打ち上げ
2002年	アメリカのスペースX社が無人宇宙船「ドラゴン」の開発を開始
2007年	中国の「嫦娥1号」が月を旋回

左／スプートニク1号（模型）。右／ガガーリンが実際に着た宇宙服。※宇宙飛行士博物館（モスクワ）の展示物より

1957年

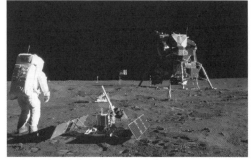

アポロ11号月面着陸（CNP/時事通信フォト）。　1969年

宇宙開発、米ソの国同士の競争から始まり、新興国や民間企業もリードする時代へ

◆欧州宇宙機関が木星氷衛星探査機の打ち上げに成功

　欧州宇宙機関は2023年4月、木星とその衛星への到達をめざす宇宙探査機を、南米のフランス領にあるギアナ宇宙センターから打ち上げました。2031年に木星付近に達し探査を行う予定。木星の衛星には氷で覆われた部分があり、その下には液体の状態の水（海）があると考えられています。生命に欠かせない水が発見された場合、木星に生命が存在する可能性を調べることも大きな課題になります。また、海のようすの詳細なども調べます。

◆アメリカの民間企業による宇宙開発

　アメリカで宇宙開発を手がける民間企業として有名なのは「スペースX」です。2023年8月には、JAXAの宇宙飛行士・古川聡さんら4人を乗せた宇宙船「クルードラゴン」を打ち上げ、国際宇宙ステーション（ISS）まで運ぶことに成功しました。クルードラゴンが宇宙飛行士をISSに送り込んだのは今回で7回目になり、今まで事故は起こしていません。

　宇宙開発は、これまでNASAやJAXAといった国家機関が主導してきましたが、通信衛星の管理・運用や、特別な訓練を受けた宇宙飛行士ではない一般人による宇宙観光、宇宙港の建設・運営、宇宙にある資源の採掘といったビジネスとして、民間企業主導で推進されること

●ギアナ宇宙センター
フランス国立宇宙センターのロケット発射基地。フランス領ギアナのクールーにある。欧州宇宙機関なども利用している。

2011 年	「国際宇宙ステーション（ＩＳＳ）」が完成
2013 年	「アルマ望遠鏡」の本格運用を開始
2015 年	アメリカの探査機「ニュー・ホライズンズ」が冥王星を探査
2016 年	アメリカの探査機「ジュノー」が木星を探査
2017 年	アメリカ・ヨーロッパ共同開発の「カッシーニ」が土星の観測を終了
2021 年	アメリカが「ジェイムズ・ウェッブ宇宙望遠鏡」を打ち上げ
2022 年	中国が宇宙ステーション「天宮」を運用開始
2023 年	ロシアの無人月探査機「ルナ 25 号」が着陸失敗
	インドの無人月探査機「チャンドラヤーン 3 号」が月の南極に着陸成功
	アメリカの OSIRIS-REx が、小惑星「ベンヌ」から塵や岩石を地球に持ち帰ることに成功。

世界で初めて月の南極付近に着陸したインド宇宙研究機関（ISRO）の無人月面探査機「チャンドラヤーン 3 号」（8 月 23 日、AFP ＝時事）。

2023年

●スペース X

宇宙事業に進出している民間企業で、ツイッター社（現・X 社）の買収などで有名なイーロン・マスク氏が最高経営責任者。3000機をはるかに超える人工衛星を軌道に投入し、有人宇宙飛行も行っている。大型ロケットを打ち上げ、一時的に宇宙空間を通過し、地球上の主要都市を 30 分程度で結び、海外旅行と宇宙旅行を同時に楽しめる事業などの提供も予定している。

国際宇宙ステーション（ISS）に滞在するために、フロリダ州の NASA ケネディ宇宙センターで、スペース X 社のクルードラゴン宇宙船に搭乗する古川聡宇宙飛行士（右端）ら。（2023 年 8 月 26 日、AFP ＝時事）。

が予想されています。

□ 宇宙エレベーター（軌道エレベーター）

　地上からはるか天を貫く建築物「宇宙エレベーター」が実現するとケーブルとモーターを使って地球から宇宙へ行くことが可能になります。これまでのロケットとは異なり、爆発の危険もなく、厳しい訓練を受けた宇宙飛行士でなくとも宇宙に行くことができるようになります。安全かつ低価格で宇宙と地球の行き来が可能になれば、宇宙開発が格段に進みます。月や火星にも宇宙エレベーターを建設することも可能になるでしょう。人間が宇宙全体に広がっていく足がかりになります。

◆インドが世界で初めて「月の南極」に着陸成功

　2023 年の 8 月 11 日に打ち上げた、ロシアの国営宇宙企業「ロスコスモス」の無人月探査機「ルナ25号」が、「月の南極」への着陸に失敗しました。その失敗が発表された 8 月 20 日の 3 日後となる 23 日に、インド宇宙研究機関（ISRO）は無人探査機「チャンドラヤーン 3 号」が、月の南極付近への着陸に成功したと公表しました。月面への着陸は旧ソビエト連邦、アメリカ、中国に次ぐ 4 か国めで、南極付近は世界初です。

　月の南極付近には氷が存在すると期待されていて、火星への有人飛行の際などに、貴重な飲み水や水素燃料の補給地点となる可能性も指摘されています。

解説のポイント

| 日本のH2Aロケット 47号機 打ち上げ成功 | 世界や日本で 民間企業による 宇宙開発が進む | インドが人類史上初めて 「月の南極」付近に 着陸成功 |

日本に被害をもたらした台風・線状降水帯

大雨の影響により崩落した道路（7月11日、佐賀県唐津市）。

「線状降水帯情報」を30分はやく発表

◆線状降水帯による災害と気象庁の対策

2023年7月3日、熊本県では、梅雨前線に暖かく湿った空気が流れ込み、局地的な豪雨をもたらす「線状降水帯」が2度にわたり発生しました。特に山都町と益城町は1時間に80ミリ以上の猛烈な雨に見舞われて複数の河川が氾濫し、山都町の金内橋と県道の路面が崩落するなど甚大な被害を受けることとなりました。

全国的な大雨の被害を受け、気象庁は5月25日から「顕著な大雨に関する気象情報」の運用を変更しました。予測技術を活用し、従来より最大30分程度前倒しして発表するとしています。住民に早く危機感を伝え、川や崖から離れたり高い場所に逃げたりするなどの防災対応に繋げたいとしています。

線状降水帯は発生メカニズムに不明な点が多く、正確な予測が難しいものの、高性能気象レーダーやスーパーコンピュータによる水蒸気量の観測の強化や予測技術の開発などを通して精度が高まっており、半日前から予測情報が発表されることもあります。

●台風7号の進路と被害

台風7号は、2023年8月10日から12日にかけて小笠原諸島に接近した後、紀伊半島へ進み15日5時前に和歌山県に上陸した。その後、近畿地方を北上して15日20時に日本海に達し、北上を続けて17日に北海道の西の海上で温帯低気圧に変わった。

線状降水帯

次々と発生する積乱雲が列をなし、長時間にわたってほぼ同じ場所を通過または停滞することで作り出される、線状に伸びた強い降水をともなう雨域のこと。一般的に長さ50～300km、幅20～50km程度。

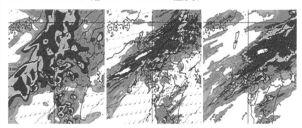

スーパーコンピュータを活用した線状降水帯の予測例（左：5km 解像度、中央：1km 解像度、右：実際の降水）気象庁の報道資料より。

線状降水帯の発生メカニズム

④上空の風の影響で積乱雲や積乱雲群が線上に並ぶ

③大気の状態が不安定で湿潤な中で積乱雲が発達

②局地的な前線や地形などの影響で空気が持ち上がり雲が発生

①低層を中心に大量の暖かく湿った空気の流入が持続

線状の強い降水域

■ 台風 7 号の進路（気象庁より）

台風の経路に近い西日本の地域を中心に大雨となり、8 月 11 日から 15 日にかけての総雨量は、多い所で 700 ミリを超え、鳥取県、岡山県、香川県 及び岩手県では平年の 8 月の月降水量の 2 倍を超える大雨となった。気象庁では 15 日 16 時 40 分に、鳥取市に大雨特別警報を発表した。また、12 日は岩手県で、15 日は岡山県と鳥取県で、線状降水帯が発生した。（国土交通省の発表から）

◆5年前西日本を襲った「平成最悪」の豪雨

気象情報の発表を早めようとする背景には、線状降水帯がもたらした過去の豪雨被害の教訓があります。2018年7月、西日本を中心に同時多発的な大雨が観測され、死者220名以上、家屋の全半壊17,000棟以上などの甚大な被害が発生しました。死者が発生した53の地点では全て土砂災害発生前に警戒情報が発表されていたにもかかわらず人的被害が多く発生しており、避難行動を起こすことの難しさが浮き彫りになっています。

◆避難情報の正しい理解、防災への備え

その一方で、愛媛県松山市高浜地区では35箇所で土砂崩れが発生したものの犠牲者はゼロでした。住民が自主的にハザードマップを見直して避難場所を決めておくなど事前に準備していたことと、行政の避難勧告を待たずに早い段階で住民同士で声をかけ合い避難したことが結果に繋がったと言われています。

大雨による水害は、誰もが遭遇する可能性のある災害です。災害についてどのような情報が発表されるのかを把握し、あらかじめハザードマップで避難経路を確認するなど、災害から自分や家族を守るために必要なことを準備しておきましょう。

解説のポイント

線状降水帯の影響で大雨が降り続く	台風の予報円が小さくなり、予報がより精密に	豪雨災害頻発の日本、事前の準備や対策で早めの避難が重要

沖縄や小笠原で部分日食

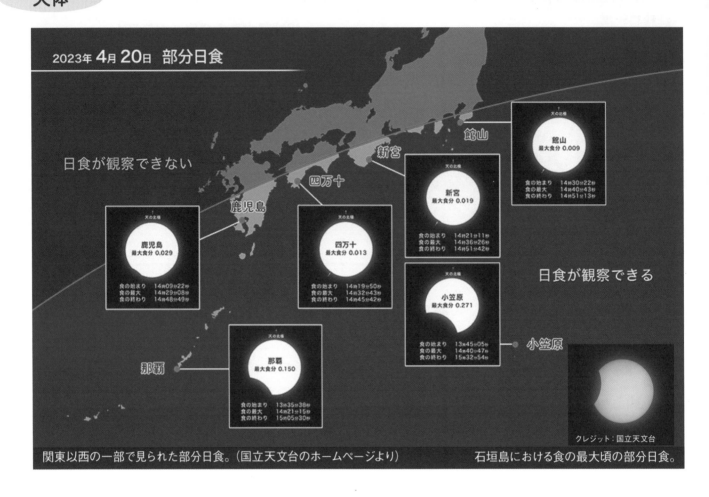

2023年4月20日 部分日食

日食が観察できない

館山
最大食分 0.009
食の始まり 14時30分22秒
食の最大 14時40分43秒
食の終わり 14時51分13秒

新宮
最大食分 0.019
食の始まり 14時21分11秒
食の最大 14時36分26秒
食の終わり 14時51分42秒

四万十
最大食分 0.013
食の始まり 14時19分50秒
食の最大 14時32分43秒
食の終わり 14時45分42秒

鹿児島
最大食分 0.029
食の始まり 14時09分22秒
食の最大 14時29分08秒
食の終わり 14時48分49秒

小笠原
最大食分 0.271
食の始まり 13時45分05秒
食の最大 14時40分47秒
食の終わり 15時32分54秒

日食が観察できる

那覇
最大食分 0.150
食の始まり 13時35分38秒
食の最大 14時21分15秒
食の終わり 15時05分30秒

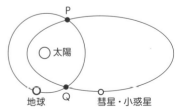
クレジット：国立天文台

関東以西の一部で見られた部分日食。（国立天文台のホームページより）　　石垣島における食の最大頃の部分日食。

日食はどのようにして起きるの？

◆ 4月20日　日本で部分日食を観測

2023年4月20日の14時過ぎに日本の太平洋側で部分日食が観測されました。観測できたのは千葉の房総半島の南端近くや小笠原諸島、九州南部や沖縄です。日食の中心線に近い小笠原諸島で最も大きく欠けました。

地球全体で見ると、ニューギニア島からオーストラリアの西側をかすめるように日食の中心線が通ります。しかも、今回は月と地球の距離が、皆既日食を起こすときと金環日食を起こすときのちょうど間をまたぐため、ほとんどの地域では皆既日食ですが、日食の始まりと終わりにあたるごく一部の地域では金環日食となる、珍しい金環皆既日食でした。

日食とは、地球から見て、太陽の前を月が横切り隠してしまう現象です（図1）。太陽は月の約400倍の直径ですが、地球と太陽の距離は月と地球との距離の約400倍のため、地球からは太陽

●三大流星群

三大流星群とは、しぶんぎ座流星群（1月）・ペルセウス座流星群（8月）・ふたご座流星群（12月）のこと。

太陽系の天体には、細長い楕円の公転軌道を持つ彗星や小惑星があり、その軌道上には、それらから発生した細かいちりがたくさんある。その軌道を地球が横切るP点やQ点を通る時に、地球の引力に引き寄せられ、地上へ落下し、大気との摩擦で燃えて流星となる。位置と時期が決まっているため、その中心にある星座が名前となった。

P

太陽

地球　　Q　　彗星・小惑星

日食のときのならび方

（図1）

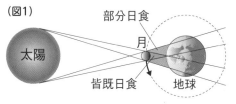

日食が起こるのは、太陽ー月ー地球の順に一直線にならぶ新月のとき。

日食のときの欠け方

（図2）

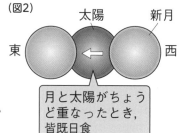

月と太陽がちょうど重なったとき，皆既日食

太陽は右側から欠けていく。

日食が起こるのは、太陽ー月ー地球の順に一直線にならぶ新月のときだが、新月のたびに起こるわけではない。日食が観察できるのは月の影に入った一部の地域だけで、とても短い時間しか観察できない。月の公転によって、月は太陽の前を右から左へ（西から東へ）動くため、太陽は右側（西側）から欠けていく。

日食のようす

コロナ

●皆既日食
地球と月が近いときに起こる、太陽全体が月に隠される日食。このとき太陽の周りにある気体（コロナ）が白く光って見える。

●金環日食（金環食）
地球と月が遠いときに起こる、太陽が輪のように見える日食。

●部分日食
太陽の一部が欠けて見える日食。皆既日食または金環日食が観察できる地域のまわりでは、部分日食が観察できる。また、部分日食だけが観察されることもある。

●太陽フレア

　太陽表面で爆発が起こる現象のこと。数千万度に達する炎が最大 10 万 km 噴出すると同時に電気を帯びたガス、プラズマが大量に放出される。これにより地球ではオーロラを観測することができるが、通信障害などの被害も多く発生する。

　太陽の次の活発化のピークは 2025 年。前回の 2012 年 7 月には 150 年ぶりの大フレアが発生したが、たまたま地球と反対側で起こり、地球に対して大きな影響を与えなかった。もし地球に向かって発生していたら「現代文明を 18 世紀に後退させたかもしれない」と海外メディアは報じていた。

と月がほぼ同じ大きさに見えます。ところが、月が地球の周りを回る公転軌道は「正円」ではなく「だ円」なので、地球から月までの距離が変化します。すると月の見た目の大きさが変化するため、太陽を完全に隠す皆既日食になる場合と、隠し切れずに太陽が輪になって見える金環日食になる場合があります。

◆金星が月に隠される ··· 惑星食のしくみ

　2023年3月24日には、金星が月の後側に入る惑星食がありました。惑星食とは、月が惑星の前を横切ることで、地球から惑星が見えなくなる現象のこと。（図3）のように、新月後の細長く光る月に金星が隠れる形になりました。2022年11月8日には442年ぶりに、皆既月食のときに天王星が隠される惑星食が観測されました。月は地球の衛星ですので、他の惑星よりも地球に近くみかけの大きさが大きいため、どの惑星食でも完全に惑星を隠します。

（図3）

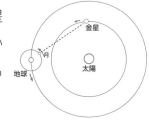

解説の ポイント

| 4月20日に外国の一部の地域で金環皆既日食が観測 | 流星群は星ではない | 2025年太陽フレアの影響は？ |

理科
気象

大陸から黄砂飛来

中国大陸から飛来した黄砂でかすむ東京都心。右奥は東京スカイツリー（4月13日、東京都中央区）。

大陸の黄砂がなぜ日本に？

◆ 黄砂とは・・・

　黄砂とは、中国やモンゴルのタクラマカン砂漠やゴビ砂漠、黄土高原などにある砂じん（砂やちり）が風に巻き上げられ、遠くに運ばれる現象です。低気圧や強風などによって上空に巻き上げられた黄砂は、3月〜5月頃に偏西風に乗って日本にやってくることがあります。日本へ飛来する黄砂の粒子の大きさは4 μm付近のものが多く、一部2.5 μm以下の微小な粒子も含まれているため、PM2.5の測定値も上昇することがあります。大気汚染物質の発生が多い地域を黄砂が通過する場合、これらの大気汚染物質とともに飛来することになります。

◆ 黄砂が春に観測されやすい原因

　黄砂は日本では春に観測されることが多く、空が黄褐色にけむり、空や街がかすんで見えることもあります。春に黄砂が発生する理由としては、大陸の雪が解けることや植物が十分に育っていないことに加え、偏西風が強く吹きやすいことが挙げられます。

　一方で、冬は砂漠が雪に覆われ、砂の上を雪が覆うことによっ

● PM2.5
PM2.5とは空気中に浮遊している2.5μm以下の細かい粒子のこと。粒子の大きさが約4.0μmの黄砂に比べると少し小さめ。PM2.5の起源はボイラー、コークス炉、鉱山の堆積場などの粉じんを発生させる施設をはじめ、自動車、船舶、航空機の排気ガスなどさまざまだ。他にも火山、土壌、海洋など自然起源のPM2.5もある。PM2.5は黄砂のように偏西風にのって中国などから飛んでくるものもあれば、日本国内で発生しているものもあり、粒子が非常に小さいことから、肺の奥に入りやすく呼吸器や循環器への影響が懸念される。

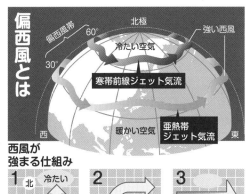

偏西風とは

偏西風帯　60°　北極　強い西風
30°　冷たい空気
寒帯前線ジェット気流
暖かい空気　亜熱帯ジェット気流
西　東

西風が強まる仕組み

1 北　冷たい／南　暖かい
空気は暖かい方から冷たい方に流れ北向きの風になる

2 西　東　自転
地球の自転による力で、風が東に向きを変える

3 西　強まる　東
南北の気温差があるほど強い風になる

偏西風の気象への影響

　偏西風は、暖かい領域と寒い領域の境目で、北半球では偏西風の南側は暖かく、北側は寒くなる。この偏西風が通常の経路から南北に通常より大きく蛇行することがあり、その結果、普段は暖かいはずの地域が寒くなったり、寒い地域が暖かくなったりと異常気象に繋がる。

　最近の日本の寒冬や大雪などの異常気象は、大気上層を流れる高緯度帯の偏西風（寒帯前線ジェット気流）と中緯度帯の偏西風（亜熱帯ジェット気流）がともに日本付近で南に蛇行し、下層では冬型の気圧配置が強まり、日本列島に強い寒気が流れ込みやすくなることが原因だと考えられている。

　また、偏西風は台風の進路にも大きな影響を及ぼしている。台風が多く発生する領域では東風が吹いているため、始め東風に流されて西へ進む。その後、太平洋高気圧のふちを吹く風に沿って北上し、台湾付近に差し掛かると偏西風に流されて北東方向へ突如として弧を描き、急激に進路を曲げて進んでいく。

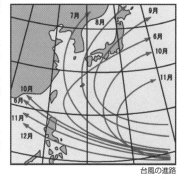

台風の進路

●スモッグ
スモッグとは、高濃度の汚染物質によって視界が悪くなる状態。スモッグを構成するのは大気中を浮遊している細かい粒子や、オゾン、アルデヒドなどである。PM2.5もスモッグを構成する1つの要素になる。スモッグは4月から10月に多く発生する。

●偏西風による飛行時間の変化
成田から太平洋を横断しニューヨークまで向かうとき、飛行時間はおよそ12時間50分。一方、同じ経路でニューヨークから成田に戻るときは、偏西風の向かい風になるのでおよそ14時間。偏西風の影響で、往きと帰りでは1時間以上も飛行時間が異なる。

て砂の飛散が抑制され、夏から秋にかけては雨で砂が水分を含んでいることや、植物の成長などによって黄砂が舞いにくい環境になっています。

◆ 黄砂を運ぶ偏西風とは？

　偏西風とは、地球の周りを西から東へ向かって吹いている風のことです。偏西風は、南北両半球の中緯度域の上空10km前後の高さをゆるやかに蛇行して吹いています。1年を通じて常に吹いており、強いところでは秒速70～80mほどにも達します。地球の北極・南極に近づくほど寒く、赤道付近に近づくほど暖かいために起こる「温度差」と「地球の自転」という2つの原因で発生します。

　低気圧や高気圧が西から東に向かって流され、日本の天気が西から東へと移っていくのも偏西風の影響です。

◆ 黄砂は自然現象から環境問題へ

　黄砂は、発生地域周辺の農業生産や生活環境に重大な被害を与えるばかりでなく、大気中に浮遊し地球全体の気候に影響を及ぼしています。また、海洋へも降下し海洋の生態系にも大きな影響を与えています。最近では、日本においても黄砂による呼吸器疾患や循環器疾患などの健康被害が報告されるようになりました。

解説のポイント

中国大陸の黄砂は偏西風にのって日本に飛来	黄砂は自然現象から環境問題へと変化し対策が急がれる	偏西風が気象に与える影響は大きく、蛇行が異常気象の原因に

理科

環境

花粉症の原因と対策

風に乗って飛散するスギ花粉（長野・上田市）。

花粉症って昔はなかったの？

◆花粉症の歴史と原因

　「昔は花粉症がなかった」という話を聞いたことがある人も多いのではないでしょうか。花粉症は歴史の浅い病気です。

　1819年、イギリスの医師ジョン・ボストックにより世界初の症例が報告されました。牧草の干し草と接触することによって発症したことから「Hay fever（枯草熱）」と名付けられました。

　日本では、1961年に東大の荒木英斉博士によってブタクサ花粉症が初めて報告されています。ブタクサは日本原産の植物ではありません。戦後にアメリカによって持ち込まれた植物が、日本で初めての花粉症を発生させたのです。

　しかし、日本では昔から全国的にスギが生育しており、スギ花粉は存在していました。それなのになぜスギ花粉で花粉症が発症し、患者が増加し続けているのでしょうか。

　戦後の日本では、スギの植林が積極的に行われました。そのため、スギの量は増加し、結果として飛散する花粉量も増加したと考えら

●抗原・抗体
抗原は、病原性のウイルスや細菌、花粉、卵、小麦など、生体に免疫応答を引き起こす物質。抗体は、体内に入った抗原を体外へ排除するために作られる免疫グロブリンというタンパク質の総称。

●マスト細胞（肥満細胞）
アレルギー反応に関与している細胞。細胞の表面には、IgEと呼ばれる免疫グロブリンが付着し、そこで、アレルゲン（抗原）と反応するとヒスタミンなどの化学伝達物質を放出し、アレルギー反応を引き起こす。

アレルギーの仕組みと原因

　からだには「免疫」という、病気を引き起こす異物（ウイルスや細菌などのアレルゲン）からからだを守るしくみがある。ある特定の異物（花粉や食物、ダニなど）に対して免疫が過剰に反応し、体に症状が引き起こされることを「アレルギー反応」という。

　花粉症はスギやヒノキなどの花粉が原因となるアレルギー性の病気。からだは、「花粉」という異物（アレルゲン）が侵入すると、まず、それを受け入れるかどうかを考える。排除すると判断した場合、体はこれと反応する物質をつくる。この物質を「IgE抗体」と呼ぶ。抗体ができた後、再び花粉が体内に入ると、鼻や目の粘膜にあるマスト細胞（肥満細胞）の表面にある抗体と結合し、その結果、マスト細胞からヒスタミンなどの化学物質が分泌され、花粉をできる限り体外に放り出そうとし、くしゃみ・鼻水・涙などの症状が出てくる。

アレルギー反応が起こるしくみ

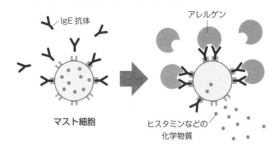

アレルゲンが口、鼻、目、皮膚などから体の中に入ると、免疫反応により体内に抗体がつくられ、抗体がマスト細胞にくっつく。

アレルゲンが再度体の中に入り、マスト細胞にくっついた抗体に結合すると、マスト細胞からアレルギー症状を引き起こす化学物質が放出される。

●少花粉スギ
雄花をまったく着けないかごくわずかしか着けず、花粉飛散量の多い年でもほとんど花粉を出さない品種。

●無花粉スギ
雄花は着けるが、雄花から花粉をまったく出さない品種。

れます。従来の量では人体に影響を与えなかったスギ花粉が、春の一定期間に飛ぶ量の増加により影響を与えるようになったともいわれています。その他の原因としては、日本人の体質の変化や大気汚染の影響が考えられています。

◆花粉の出ない品種改良でスギ花粉対策

　スギ花粉症の人は、国民の40%以上にも上ります。低年齢化も目立っており、10代は50%、5〜9歳でも30%が発症しているという報告もあります。

　岸田首相は「もはや日本の社会問題といっていい」と花粉症について述べ、対策の柱としては、「使用木材のスギ材への転換を進めることにより、発生源となるスギの伐採を加速」「人工知能（AI）などを活用した花粉飛散予報の改善」「治療法の普及」の3点を挙げました。

　また、担当官庁にあたる織田 央 林野庁長官も、花粉の少ないスギの苗木の年間生産量を10年以内に「約9割にまで増加させる」ことを目標にすると表明し、花粉症撲滅に向けて国が本気で取り組む姿勢をアピールしています。

　花粉症の主な原因であるスギやヒノキの花粉。一方で、持続的な森林資源の循環利用のためには、今後もスギ・ヒノキが重要な造林樹種であることは変わりません。花粉発生源対策として、スギやヒノキの花粉が少ない品種を開発し、花粉の少ない森林へ変えていく取り組みを、林野庁や各都府県が協力して行っています。

解説のポイント

| 日本人の花粉症患者は年々増加 | 花粉症はいまや社会問題であり、国を挙げて対策を | 花粉発生源対策として花粉の少ないスギの開発に取り組む |

理　科

環境

絶滅した大型ペンギンの化石と深海生物の発見

海岸に打ち上げられたリュウグウノツカイ（兵庫県豊岡市竹野町宇日、朝日新聞社／時事通信フォト）。

大昔のペンギンはどうして大きかったのか？

◆新種の巨大なペンギンの化石を発見

　ニュージーランドのノース・オタゴの海岸の岩から新種の過去最大級の巨大なペンギンの化石が見つかりました。この化石は恐竜絶滅から数百万年後の、今から約6千万年前に生息していたとされています。成人と同じくらいの背丈があり、体重に至っては約150kgもあったとみられています。これだけ大きければ、飛ぶことが難しいと考えられます。飛ぶことのできない海鳥であるペンギンがどのような進化をたどってきたのか、それを探る意味でも大きな発見だとされています。

　現在生息しているペンギンで一番背が高く、全長1.2m、体重22〜45kgあるのはコウテイペンギンですが、それよりかなり大きいこのペンギンは「クミマヌ・フォーディセイ」と命名されました。また、ペンギンの化石はもう1種発見されており、こちらは「ペトラディプテス・ストネホウセイ」と命名されました。体重は50kgで、クミマヌよりは小さく、それでもコウテイペンギンより大きなペンギンです。フリッパーが細く、筋肉の付着部分が空を飛べる鳥に似ているなど、原始的な

●フリッパー
ペンギンの翼のことをフリッパーと呼ぶ。海の中を速く泳ぐために、普通の鳥に比べて堅く、舟を漕ぐオール状になっている。

化石で見つかった大型ペンギン2種の大きさのイメージ

研究チーム提供の資料から

成人と同じくらい
の背丈
体重は約150kg

約20～40kg

クミマヌ・
フォーディセイ

ペトラディプテス・
ストネホウセイ

コウテイペンギン

ノース・オタゴ

リュウグウノツカイ発見相次ぐ

2023年は、水深200～1000mの深海に生息し、体長は3～5mで「幻の深海魚」といわれる「リュウグウノツカイ」が日本沿岸で発見が相次いだ。普段は水温の低い深海で生活しているが、冬の時期は海の浅い部分まで水温が下がるので、水面近くまで上がってエサを食べる機会も増えてくるとみられている。

深海魚は深海の高い水圧に適応しなければならない。地上の気圧は1気圧だが、海の中では水深10mあたり1気圧高くなり、深海と呼ばれる水深200mでは20気圧。$1cm^2$あたり20kgもの水圧がかかる。

深海生物のなかには、リュウグウノツカイやアンコウなどのように浮き袋を持たない魚やダイオウグソクムシなどの硬い甲羅で覆われている生物もいるが、浮き袋のある深海魚を急に釣り上げると、外から受ける圧力が急に低くなるので、高い圧力のままの内臓や目玉が飛び出し死んでしまうこともある。

静岡市

八丈島

伊豆・小笠原
海溝沿い

父島

●伊豆・小笠原海溝

太平洋プレートがその西側にあるフィリピン海プレートの下に沈み込む場所に位置し、最深部は10000m近くに達する。周辺は、「伊豆・小笠原海溝沖合海底自然環境保全地域」に指定されている。人間の影響を受けにくい海域で、高い水圧と低い水温の過酷な環境下において、他の海域と隔離された環境で固有種などが多く生息し、「生物多様性の観点から重要度の高い海域(沖合海底域)」(平成27年環境省公表)とされている。

特徴が残っています。巨大化し栄えた理由は、体が大きければ、それだけ大きなエサを食べることができ、さらに体が大きいので冷たい水の中でも体温を保ちやすかったからではないかと考えられています。

◆最も深い場所で確認された魚としてギネス記録に

東京海洋大学や西オーストラリア大学などの国際研究グループが、2022年に撮影に成功した深海魚が、「最も深い場所で確認された魚」として2023年にギネス世界記録に認定されました。場所は、伊豆・小笠原海溝の水深8336mの深海です。

全身が乳白色で体長はおよそ30cmあり、「スネイルフィッシュ」と呼ばれる深海魚の仲間とみられます。ヒレは半透明で体は柔らかいゼラチン質で覆われているようです。

これまで生きた魚が確認された最も深い場所はマリアナ海溝の水深8178mでした。

解説の ポイント

| 新種の巨大な
ペンギンの
化石を発見 | 最も深い場所で
確認された
魚の世界記録 | 深海魚は
海水と体内の
圧力が同じ |

日本人とノーベル賞

2021年ノーベル物理学賞に真鍋淑郎氏
地球温暖化を予測する気候モデルの開発

　2021年のノーベル物理学賞は、**日本出身でアメリカ国籍の真鍋淑郎氏**（米プリンストン大学上席研究員）ら3人が共同受賞しました。受賞理由は「**地球温暖化を予測する気候モデルの開発**」です。

　2019年には、**ノーベル化学賞を吉野彰氏**が「**リチウムイオン電池の開発**」で、アメリカの科学者2人とともに受賞しています。

　2023年のノーベル平和賞には、イランにおける女性の権利向上や死刑の廃止などを訴えてきた**女性人権活動家、ナルゲス・モハンマディ氏**が選ばれました。2003年のノーベル平和賞受賞者、シリン・エバディ氏らが設立した「人権擁護センター」の副所長。繰り返し逮捕され、現在もイラン国内の刑務所に収監されています。また、ノーベル生理学・医学賞には、アメリカの研究者である**カタリン・カリコ氏**（ハンガリー出身）と**ドリュー・ワイスマン氏**が選ばれました。新型コロナウイルスのワクチンとして接種されている「**mRNAワクチン**」の開発に大きく貢献したことにより受賞しています。

◆ノーベル賞とは？

　ノーベル賞は、ダイナマイトを発明したスウェーデンの実業家、アルフレッド・ノーベルの平和を願う遺志によって創設された賞です。物理学、化学、生理学・医学、文学、経済学、平和の6つの賞があります。授賞式は例年ノーベルの命日である12月10日に行われます。

　平和賞以外の5賞は、例年スウェーデンのストックホルムで行われます。平和賞だけはノルウェー・ノーベル委員会が選考し、授賞式は例年ノルウェーのオスロ市庁舎で行われます。

■日本出身の歴代ノーベル賞受賞者（2023年10月10日時点）

年	物理学	化学	生理学・医学	文学	平和
1949	湯川秀樹				
1965	朝永振一郎				
1968				川端康成	
1973	江崎玲於奈				
1974					佐藤栄作
1981		福井謙一			
1987			利根川進		
1994				大江健三郎	
2000		白川英樹			
2001		野依良治			
2002	小柴昌俊	田中耕一			
2008	南部陽一郎 小林誠 益川敏英	下村脩			
2010		根岸英一 鈴木章			
2012			山中伸弥		
2014	赤崎勇 天野浩 中村修二				
2015	梶田隆章		大村智		
2016			大隅良典		
2017				カズオ・イシグロ （日系イギリス人）	
2018			本庶佑		
2019		吉野彰			
2021	真鍋淑郎				

※南部氏・中村氏・真鍋氏は米国籍。カズオ・イシグロ氏は英国籍。
※経済学賞は受賞なし。

■近年のおもなノーベル平和賞受賞者（肩書きは受賞当時のもの）

年	受賞者	受賞理由
1974	佐藤栄作（日本元首相）	非核三原則の提唱やアジアの平和に貢献
1989	ダライ・ラマ14世（チベット仏教最高指導者）	世界平和に貢献
1990	ミハイル・ゴルバチョフ（ソ連大統領）	冷戦終結や共産圏の民主化などに貢献
1991	アウンサンスーチー（ミャンマー民主化運動の指導者）	ミャンマーの民主化に努力
1997	地雷禁止国際キャンペーン、ジョディ・ウィリアムズ（同報道官）	対人地雷の禁止条約制定に貢献
2000	金大中（韓国大統領）	南北朝鮮の和解に努力
2002	ジミー・カーター（アメリカ元大統領）	国際紛争の平和的解決への努力
2004	ワンガリ・マータイ（ケニアの環境活動家）	持続可能な開発と民主主義と平和に貢献
2005	国際原子力機関、ムハンマド・エルバラダイ（同事務局長）	核不拡散体制の強化
2007	気候変動に関する政府間パネル（IPCC）、アル・ゴア（アメリカ前副大統領）	気候変動についての知識を普及
2009	バラク・オバマ（アメリカ大統領）	核軍縮への取り組み
2012	欧州連合（EU）	欧州連合を通じた国家の和解と平和への取り組み
2013	化学兵器禁止機関（OPCW）	化学兵器廃絶に向けた取り組み
2014	マララ・ユスフザイ（パキスタン）	女子教育の権利を訴える活動への取り組み
2017	国際NGO「核兵器廃絶国際キャンペーン（ICAN）」	核兵器禁止条約の制定に貢献
2018	デニ・ムクウェゲ（コンゴ）、ナディア・ムラド（イラク）	戦時性暴力根絶に貢献
2019	アビー・アハメド（エチオピア首相）	エリトリアや近隣のアフリカ諸国の紛争解決に貢献
2020	世界食糧計画（WFP）	貧困・紛争地域の飢餓撲滅に貢献
2021	マリア・レッサ（フィリピン）、ドミトリー・ムラトフ（ロシア）（ジャーナリスト）	表現の自由を守るために貢献
2022	市民自由センター（ウクライナの人権団体）、メモリアル（ロシアの人権団体）、アレシ・ビャリャツキ（ベラルーシの人権活動家）	平和や人権といった人類の普遍的価値のために活動
2023	ナルゲス・モハンマディ（イランの人権活動家）	イランにおける女性の抑圧に反対し、すべての人の人権と自由を促進するために闘った。

2023 (理) (科) ニューストピックス

理科に関する話題のニュースはほかにもいろいろとあります。「環境」「生物」「科学」などの分野を中心に、2023年の理科ニューストピックスを集めました。

■ 土星の衛星が新たに63個発見され、総数が146個に

土星は地球と同じ太陽の周りを公転する惑星だが、衛星がたくさんあり、望遠鏡でみると環がみえることで知られている。国際天文学連合小惑星センターの小惑星電子回報では、5月上旬から、その土星の新しい衛星の発見が相次いで報告された。

今回報告された土星の新衛星の約半数は、アメリカのカーネギー研究所の研究チームが2004年から2007年に米・ハワイのすばる望遠鏡の主焦点カメラ「Suprime-Cam」で撮影したデータから発見し、2019年と2021年にハワイのカナダ・フランス・ハワイ望遠鏡（CFHT）による観測で確認した。残り半数は台湾中央研究院天文及天体物理研究所の研究チームがCFHTを使って2019年から2021年に取得した観測データから発見した。これらの発見により土星の衛星は146個となり、、太陽系の惑星では最も多いものになった。最も大きな惑星である木星の衛星は95個だ。

■ 米子水鳥公園に秋の深まりを告げるマガン今季初飛来

米子水鳥公園（鳥取県米子市）で10月1日、秋の深まりを告げるマガンの初飛来が確認された。1日には園内の池を泳ぐ成鳥が1羽見つかった。同園のある鳥取県西部から島根県東部は西日本最大のマガンの集団越冬地。例年4000羽近くが冬を過ごしている。

北極海沿岸のロシアやアラスカ北部から飛来するマガンは体長約70㎝でカモの仲間。国指定の天然記念物になっている。

▲日本で冬を越すマガン（真雁）。

■ 暑すぎて熱帯雨林の植物が光合成ができなくなるおそれも

南米や東南アジアの熱帯雨林で、一部の葉があまりの暑さのために光合成ができなくなっている可能性があるという研究結果を、アメリカ、オーストラリア、ブラジルなどの研究チームが科学誌ネイチャーに発表した。

熱帯雨林は地球の約12％を覆い、世界の種の半分以上が生息しているといわれる。また、二酸化炭素を吸収して地球の気候を調整するという重要な役割も担う。もしこのまま極端に高い気温が続くと、大規模な葉の枯死と減少につながり森林に壊滅的な影響を及ぼし、人間を始めとする生物の生存にも影響する可能性が指摘されている。

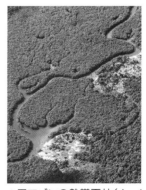
▲アマゾンの熱帯雨林（dpa/時事通信フォト）。

国産ミシンの先駆け「パインミシン」などが「未来技術遺産」に

　国立科学博物館が定める登録制度「重要科学技術史資料（愛称：未来技術遺産）」に、新たに「パインミシン（国産ミシンの先駆け）」など20件を登録したと発表した。

　未来技術遺産の登録制度は、暮らしや文化に影響を与えた科学技術を後世に伝えることを目的に2008年度から始まり、今回で合計363件の登録となった。今回選ばれた中には世界初の屋外用カラー大型表示用光源管や、世界で初めて人工的に雪の結晶の製作に成功した研究室資料などが含まれる。

白山手取川が世界ジオパークに

　主に地質遺産（科学的に重要な地質や地形など）を保護し、その活用を目的とする自然公園をジオパークという。石川県では、白山市の全域が白山手取川ジオパークとして日本ジオパークに認定されており、5月24日にフランス・パリで行われたユネスコ執行委員会において、日本で10か所目となるユネスコ世界ジオパークにも認定された。

　白山手取川ジオパークは、「山と雪のエリア」・「川と峡谷のエリア」・「海と扇状地のエリア」に分かれており、「川と峡谷のエリア」では、手取峡谷や綿ヶ滝など、水による侵食と運搬が繰り返され形成された地形や景観などを見ることができる。

▲姥ヶ滝の紅葉（石川県白山市、時事通信フォト）。

ザトウクジラの出産、国内初の撮影

　鹿児島県の奄美大島沖で、2月16日、出産中とみられるザトウクジラの様子が撮影された。撮影に成功した鹿児島県奄美市の奄美クジラ・イルカ協会によると、国内でザトウクジラの出産の様子が撮影されたのは初めてとのこと。

　ザトウクジラは体長12〜14m、体重30t超にもなる大型のクジラ。冬期に繁殖や子育てのため、奄美や沖縄などの暖かい海に来遊するが、具体的にいつどこで出産しているのかがわかっていなかった。

スパコン計算速度、米「フロンティア」3連覇、日本「富岳」は2部門で1位

　5月に発表されたスーパーコンピュータの性能の世界ランキングで、計算速度ではアメリカの最新鋭機「フロンティア」が3期連続で1位、理化学研究所計算科学研究センター（神戸市）にあるスーパーコンピュータ「富岳」は3期連続で2位だった。「富岳」は産業利用などの処理速度の指標となる「HPCG」と、ビッグデータ解析の性能の指標となる「Graph500」の2部門で1位を維持した。

世界初、薄くて曲がる太陽電池で変換効率アップ

東京都市大学理工学部電気電子通信工学科の石川亮佑教授は9月、軽くて曲げられる「ペロブスカイト／シリコンタンデム太陽電池」の作製技術を開発したと発表した。開発品は26.5%という高いエネルギー変換効率を達成した。軽量化も達成し、湾曲屋根やビル壁面など、従来は設置困難だった場所への設置も可能となった。

ペロブスカイト太陽電池は桐蔭横浜大学の宮坂力特任教授らが最初に提案した日本発の技術だ。

カメの甲羅には「人類の核の歴史」が記録されている

カメの甲羅は成長過程で周辺環境の影響を受ける。そしてこのほど、核実験が実施された地域で長く生息していたカメの甲羅に、高濃縮ウランが含まれていることをアメリカの研究チームが明らかにした。これにより、カメの甲羅が「核の歴史」を記録しているという事実も明らかになり、過去の核爆発が環境にどのような影響を及ぼしているのかを調べることができるようになった。さらに研究者たちは、組織が徐々に成長していく他の生物においても、核の歴史を追跡するのに役立つ可能性があるとみている。具体的には、さまざまな場所で採取された生物のデータや、土壌、植物、水などの情報を組み合わせることにより、その地域の汚染がどのように広がっているのかを、より正確に知ることができると考えている。

世界初、トヨタが「液体水素車」で24時間レース完走

5月に富士スピードウェイ（静岡県）で行われた24時間耐久レースに、トヨタは世界で初めて液体水素を燃料とした水素エンジン車で参戦し、完走した。脱炭素に向けて今後も、京都大学、東京大学、早稲田大学と液体水素システムの軽量化・小型化を目指す技術を共同研究していくとしている。

電流を流して味覚を変える実験で、日本人研究者2人にイグ・ノーベル賞

人々を笑わせ、考えさせたユニークな研究に贈られる「イグ・ノーベル賞」が発表された。今年は「微弱な電流を流した箸やストローで食品の味を変える実験」に関する論文を発表した明治大学総合数理学部の宮下芳明教授と東京大学大学院情報学環の中村裕美特任准教授が「栄養学賞」を受賞した。微弱な電流を流すストローや箸やフォークを使って飲み物を飲んだり食べ物を食べたりすると、舌への電流の流れ方次第で飲み物や食べ物の味が増強されることなどを示した実績が評価された。宮下教授は食塩を30%低減させた減塩食を、微弱な電流を流した箸を用いて食べると塩味が増すことを実証しており、この技術を使った器やスプーンがすでに開発されている。

2023年 ニュース年表

※は現地時間

1月		
	1日	クロアチアが欧州連合統一通貨のユーロを導入。
	9日	岸田文雄首相が欧米5か国（フランス、イタリア、英国、カナダ、米国）歴訪（～15日）に出発。
	13日 ※	岸田首相がワシントンでバイデン米大統領と首脳会談。共同声明には日本の敵基地攻撃能力（反撃能力）の開発・運用での連携強化などが明記された。
	25日	奈良市の富雄丸山古墳から国内最古で最大の蛇行剣と、過去に類例のない盾形銅鏡が出土したと、奈良市教育委員会等が発表した。
	25日	全国的に10年に1度の最強寒波が到来。各地で大雪による交通障害など混乱が続いた。
	25日	一票の格差が最大2.08倍だった2021年10月の衆院選について、最高裁判所は合憲と判断。
	26日	政府の情報収集衛星レーダー7号機を搭載したH2Aロケット46号機の打ち上げに成功。
	27日	ベトナム和平協定（パリ和平協定）調印から50年（発効は28日）。
	30日	パキスタンの北西部ペシャワールのモスクで自爆テロが発生し、警察官等84人が死亡、200人以上が負傷した。

2月		
	1日	緊急地震速報の発表基準に、長周期地震動階級が追加された。
	4日 ※	アメリカ軍が米国の領空に侵入していた中国の偵察気球を撃墜。
	6日	トルコ南部でマグニチュード（M）7.8の地震が発生。その後もM7.5の地震が起こるなど、トルコと隣接するシリアに甚大な被害をもたらした。（トルコ・シリア地震）
	20日	アメリカのバイデン大統領がウクライナを電撃訪問し、ゼレンスキー大統領と会談。
	21日	東京・上野動物園のジャイアントパンダ・シャンシャン（香香）が中国に返還。
	24日	ロシア軍のウクライナ侵攻から1年。
	26日	アメリカ・ニューヨーク州の世界貿易センタービル爆破事件から30年。
	28日	厚生労働省は、2022年の日本の出生数（速報値）は前年より4万3169人少ない79万9728人だったと発表。
	28日	国土地理院は、36年ぶりに日本の島の数を数え直した結果、これまでの6852島から1万4125島に倍増したと発表。

3月	10日	イランとサウジアラビアが7年に及ぶ断交を解消し、国交を正常化することで合意。
	11日※	若田光一宇宙飛行士がスペースX社の宇宙船「クルードラゴン」で、約5か月ぶりに国際宇宙ステーション（ISS）から帰還。
	15日	政治家女子48党（旧NHK党）のガーシー（東谷義和）参議院議員が除名された。
	16日	韓国・尹錫悦大統領が初来日（～17日）。岸田首相と会談を行い、首脳同士の相互訪問（シャトル外交）、日韓安全保障対話（安保対話）の再開などを確認した。
	17日	パラリンピックの車いすテニス男子で金メダル4個を獲得した国枝慎吾氏に、国民栄誉賞が授与された。
	18日	JR東日本が国内の鉄道会社で初めて時間帯による変動運賃制を導入。
	20日	中国の習近平国家主席がロシアを訪れ（～22日）、21日にはプーチン大統領と首脳会談を行った。
	21日※	アメリカのマイアミで、第5回ワールド・ベースボール・クラシック（WBC）の決勝戦が行われ、日本がアメリカを下し3度目の優勝。大谷翔平選手が最優秀選手（MVP）に。
	21日	岸田首相がウクライナを訪問し、ゼレンスキー大統領と会談。殺傷能力のない装備品の供与やエネルギー分野などへの支援を表明した。
	27日	文化庁が京都市に移転し、業務を開始。
	28日	2023年度予算が成立。一般会計の総額は114兆3812億円と11年連続過去最大に。

4月	1日	こども家庭庁が発足。
	3日	奈良市の平城京跡地で、奈良時代前半の大規模な建物跡が見つかったと、奈良市教育委員会が発表。
	4日	フィンランドが北大西洋条約機構（NATO）に正式加盟。NATOは31か国体制に。
	9日	第32代日本銀行総裁に、経済学者で共立女子大学の教授を務めていた植田和男氏が就任。
	9日	第20回統一地方選挙前半戦の投開票が行われた。大阪府知事と大阪市長のダブル選挙では、地域政党・大阪維新の会が擁立した公認候補が当選。（後半戦の投開票は23日）
	11日※	ロシア・カムチャツカ半島のシベルチ火山で大規模な噴火が発生。降灰の量としては1964年の噴火以来最多を記録した。
	12日	日本海側を中心に30道府県で黄砂が観測された。
	15日	スーダンの首都ハルツームで、国軍と準軍事組織「迅速支援部隊」（RSF）の権力争いが激化し、戦闘が始まる。

4月		
15日	選挙応援で和歌山市を訪れていた岸田文雄首相に向けて、爆発物が投げつけられた。	
15日	ドイツが稼働中の原子力発電所3基を停止し、脱原発を完了。	
19日	インドの人口が2023年半ばに中国を抜き世界一になる見通しだと、国連人口基金（UNFPA）が発表。	
20日	2022年度の貿易統計速報（通関ベース）によると、日本の貿易収支はマイナス21兆7285億円で、過去最大の赤字だった。	
20日	オーストラリア、インドネシアの一部地域で皆既日食が、日本でも太平洋側の一部地域で部分日食が観察された。	
24日	韓国の尹錫悦大統領がアメリカを訪問（～29日）。26日にはバイデン大統領と会談を行い、米国の戦力で韓国を防衛する「拡大抑止」の強化で合意した。	

5月		
5日	石川県能登地方を震源とするマグニチュード（M）6.5の地震が発生。同県珠洲市で最大震度6強を観測した。	
5日	世界保健機関（WHO）は、新型コロナウイルス感染症に関する緊急事態宣言の終了を発表。	
6日	イギリスのチャールズ国王の戴冠式が、ロンドンのウェストミンスター寺院で行われた。	
7日	岸田首相が3月に確認した「シャトル外交」の一環で韓国を訪れ、尹錫悦大統領と会談。	
8日	新型コロナウイルス感染症の法律上の分類が、2類相当から季節性インフルエンザと同じ5類に引き下げられた。	
11日	千葉県南部を震源とする、最大震度5強を観測する地震が発生。	
17日	世界気象機関（WMO）は、エルニーニョ現象の発生により、2023年から5年間の世界の気温が過去最高レベルになる可能性が高いと発表した。	
19日	広島市で主要7か国首脳会議（G7サミット）が開幕（～21日）。ロシアのウクライナ侵略や核軍縮、中国の覇権主義的な動きへの対応などが大きなテーマに。	
20日	ウクライナのゼレンスキー大統領が来日。21日にはG7サミットに参加。	
24日	石川県白山市の自然公園「白山手取川ジオパーク」が、ユネスコ（UNESCO：国連教育科学文化機関）の世界ジオパークに認定された。	
24日	ユネスコ（UNESCO：国連教育科学文化機関）は、「智証大師円珍関係文書典籍－日本・中国の文化交流史－」を「世界の記憶」に登録すると発表。	
28日	トルコ大統領選挙の決選投票が行われ、現職のエルドアン氏が再選した。	
29日	佐賀県の吉野ヶ里遺跡で、弥生時代後期後半のものとみられる石棺墓が見つかったと、佐賀県が発表。	
30日	中国が有人宇宙船「神舟16号」の打ち上げに成功。	
31日	原子力発電所の60年を超える運転を可能にする「GX（グリーントランスフォーメーション）脱炭素電源法」が成立。	

6月	1日	「改正外来生物法」の施行により、この日以降、アメリカザリガニやアカミミガメ（ミドリガメ）は、これまで通り家庭で飼うことはできるが、売買や輸入、自然に放つことが禁止に。
	1日	将棋の藤井聡太竜王が最年少で名人獲得と、史上2人目の七冠を達成。
	1日	大手電力7社が家庭向け規制料金を値上げ。
	2日	既存の健康保険証を廃止し、マイナンバーカードへ一本化する改正マイナンバー法が成立。
	2日	3日にかけて日本各地で激しい雨が降り続き、愛知・静岡など8県で24時間降水量の過去最多を更新。
	6日	ウクライナ南部ヘルソン州にあるカホフカ水力発電所のダムが爆破され決壊。
	17日	天皇、皇后両陛下がインドネシアを訪問（〜23日）。
	22日	中国・北京で観測史上2番目、6月の気温としては最高となる41.1℃を記録。

7月	3日	岡山県の水島港で、強い毒性を持つ特定外来生物の「コカミアリ」が確認された。
	7日	アメリカ政府は、ウクライナへの新たな軍事支援としてクラスター爆弾を供与すると発表。
	8日	安倍晋三元首相が銃撃され死亡した事件から1年。
	10日	九州北部で記録的な大雨が発生し、各地で土砂崩れや河川の氾濫が相次ぎ、人的被害も。
	10日	アメリカが5年ぶりに、ユネスコ（UNESCO：国連教育科学文化機関）に復帰。
	11日	リトアニアの首都ビリニュスで北大西洋条約機構（NATO）首脳会議が開幕（〜12日）。
	16日	イギリスの環太平洋経済連携協定(TPP)への加盟が正式決定。
	16日	岸田首相が中東3か国（サウジアラビア、アラブ首長国連邦、カタール）を訪問（〜18日）。
	26日	総務省が発表した住民基本台帳に基づく2023年1月1日現在の日本人の総人口は1億2242万3038人。前年比80万523人減で、14年連続減少。
	27日	ロシア北西部のサンクトペテルブルクでロシア・アフリカ首脳会議が開幕（〜28日）。
	28日	関西電力高浜原発1号機（福井県）が12年ぶりに再稼働。
	30日	パキスタン北西部で行われた政党集会で爆発が発生し、50人超が死亡、200人以上が負傷。翌31日、過激派組織イスラム国(IS)系組織が犯行声明を出した。

8月	8日	アメリカ・ハワイ州のマウイ島で大規模な山火事が発生。翌9日には島全体に非常事態宣言が発令された。
	15日	台風7号が和歌山県に上陸し、その後兵庫県明石市付近に再上陸。
	18日	アメリカ・ワシントン近郊のキャンプ・デービッドで日米韓首脳会談を開催。
	22日	南アフリカのヨハネスブルクでBRICS首脳会議が開幕。24日には2024年1月から新たにアルゼンチン、エジプトなど6か国が加入すると発表した。
	23日	インドの無人月探査機「チャンドラヤーン3号」が世界で初めて月の南極付近に着陸。(月面着陸の成功は、ロシア(旧ソ連)、アメリカ、中国に次いで4か国目)
	24日	東京電力福島第一原発の事故で発生した処理水の海洋放出が始まる。
	26日	古川聡宇宙飛行士が米国の民間宇宙船「クルードラゴン」7号機で、国際宇宙ステーション(ISS)へ。
	26日	栃木県の宇都宮市から芳賀町まで約15kmを結ぶ次世代型路面電車(LRT)が開業。
	31日	13年ぶりにスーパーブルームーンが観測された。

9月	1日	感染症対策の司令塔となる内閣感染症危機管理統括庁が発足。
	2日	国民民主党の代表選挙が実施され、現職の玉木雄一郎氏が再選した。
	2日	インドが同国初の太陽観測衛星「アディティヤL1」の打ち上げに成功。
	8日	北アフリカのモロッコで、マグニチュード6.8相当の地震が発生した。
	9日	第18回G20首脳会議がインドのニューデリーで開催。
	13日	第2次岸田内閣の再改造内閣が発足。女性閣僚は過去最多の5人に並ぶ。
	17日	厚生労働省によると、全国の100歳以上の高齢者が過去最多の9万2139人になった。
	24日	米航空宇宙局(NASA)の探査機オシリス・レックスが小惑星ベンヌから試料入りカプセルを持ち帰った。

10月	3日	アメリカ・ニューヨーク外国為替市場で円安が進み、円相場は一時1ドル=150円台まで値下がりした。
	7日	パレスチナ暫定自治区のガザ地区を実効支配するイスラム組織ハマスが、イスラエルへの攻撃を開始。
	9日	秋田県秋田市の雄物川沿いで60代から80代の男女複数人がクマに襲われけがをした。

基本を確認！キーワードチェック

■ 次の各問いに答えなさい。

□ ① 2021年10月に日本の首相に就任し、翌年8月には支持率低下の立て直しをかけ内閣改造を行った人物の名前を答えなさい。2023年5月に開催されたG7広島サミットでは議長を務めました。

（　　　　　　　　　　　）

□ ② 歴代最長の首相在任記録を打ち立てた元首相の名前を答えなさい。この人物が、奈良市で街頭演説中に銃撃され死亡してから2023年7月で1年となりました。

（　　　　　　　　　　　）

□ ③ 2021年9月に創設され、マイナンバー制度や国と地方のデジタル社会の基盤づくりを担う首相直轄の省庁名と、2023年9月現在の大臣の名前を答えなさい。

（　省庁名　：　　　　　　　　　、大臣名　：　　　　　　　　　）

□ ④ 2019年12月の発生確認から短期間で全世界に広まった感染症の名前を答えなさい。

（　　　　　　　　　　　）

□ ⑤ 2023年5月8日、④の感染症法上の位置づけが、季節性インフルエンザと同じ分類に移行しました。何類相当から何類に移行しましたか。解答らんにあてはまる数を答えなさい。

（　　　　　類相当から　　　　　類　）

□ ⑥ イギリスの政治家ブライスは、地方自治のことを何といいましたか。7字で答えなさい。

（　　　　　　　　　　　）

□ ⑦ 1947年以来、4年ごとに全国一斉に実施されている、地方公共団体の長と議会議員を選ぶ選挙を何といいますか。2023年4月に行われたこの選挙では、日本維新の会が躍進しました。

（　　　　　　　　　　　）

□ ⑧ 30年前の1993年、1955年以来続いていた自民党一党優位体制が崩れ、非自民連立政権が誕生しました。このときの内閣総理大臣の名前を答えなさい。

（　　　　　　　　　　　）

□ ⑨ ①の首相は、少子化問題に対し2023年の年頭会見でどんな施策を取っていくことを表明しましたか。

（　　　　　　　　　　　）

□ ⑩ 内閣府の外局の一つで、2023年4月に発足した、児童虐待の防止や子どもの貧困対策など子ども政策を総合的に担う省庁名を答えなさい。

（　　　　　　　　　　　）

☐ ⑪ 地方創生を目的として、2023年3月27日に本庁が東京都から京都府に移転した文部科学省の外局である行政機関の名前を答えなさい。

（　　　　　　　　　　　）

☐ ⑫ 国民一人ひとりに12桁の番号を与え、行政の効率化や利便性を高めるために、2016年に導入された制度を何といいますか。

（　　　　　　　　　　　）

☐ ⑬ 2023年6月、健康保険証を⑫のカードに一本化する法律が成立しましたが、現行の健康保険証が廃止される時期を答えなさい。

（　　　　　　　　　　　）

☐ ⑭ 2023年6月に施行された、性的少数者に対する理解を広めるための法律名を答えなさい。

（　　　　　　　　　　　）

☐ ⑮ 民法が改正され、2022年4月から成年年齢が引き下げられました。何歳から何歳に引き下げられましたか。解答らんにあてはまる数を答えなさい。

（　　　歳から　　　歳）

☐ ⑯ 黒田東彦氏の後任として、2023年4月に第32代日本銀行総裁に就任した人物の名前を答えなさい。

（　　　　　　　　　　　）

☐ ⑰ 2022年度の貿易統計（速報、通関ベース）で、モノの輸出額から輸入額を引いた差額が21兆7285億円の赤字となりました。この差額のことを何といいますか。

（　　　　　　　　　　　）

☐ ⑱ 2022年から2023年にかけて続いている、世界中の投資家が日本の円を売りドルを買うなどの原因でおこる傾向を何といいますか。

（　　　　　　　　　　　）

☐ ⑲ 土地や株の資産価値が経済の実態以上に上昇することを何といいますか。

（　　　　　　　　　　　）

☐ ⑳ 東日本大震災からの復興を目的として、期間を定めて設置された行政機関の名前を答えなさい。

（　　　　　　　　　　　）

☐ ㉑ 地方創生の財源確保を目的に導入された、応援したい自治体に寄付をすると税の一部が控除される制度を何といいますか。

（　　　　　　　　　　　）

■ 次の各問いに答えなさい。

□ ① 国土地理院が日本全国の島を36年ぶりに数え直したところ、総数が倍増しました。およそ何島になりましたか。

(およそ 　　　　　　　島)

□ ② 民俗芸能、伝統工芸技術、儀式や祭礼行事などの保護のためにユネスコが定める遺産を何といいますか。日本では2022年11月に「風流踊」が新たに登録されました。

(　　　　　　　　　　)

□ ③ 貴重な歴史的文書など記録類の保存を目的に、1992年にユネスコが始めた登録事業を現在何といいますか。2023年5月、平安時代の僧、円珍の関係文書が登録され、日本では8件目となりました。

(　　　　　　　　　　)

□ ④ 2023年5月にユネスコにより認定された、日本国内で10か所目となる石川県にある世界ジオパークの名前を答えなさい。

(　　　　　　　　　　)

□ ⑤ 前例のない盾形銅鏡と国内最古で最大の蛇行剣が出土した、奈良市にある、円墳としては日本最大の古墳の名前を答えなさい。

(　　　　　　　　　　)

□ ⑥ 弥生時代後期後半の有力者の墓とみられる石棺墓が発見された、国の特別史跡に指定されている佐賀県の遺跡の名前を答えなさい。

(　　　　　　　　　　)

□ ⑦ 捨てられたペットボトルなどが、風や雨によって川から海に運ばれ、海では紫外線を浴びて劣化し、波の力などでくだけて、5mm以下になった小さな破片を何といいますか。

(　　　　　　　　　　)

□ ⑧ 2015年の国連サミットで採択された、持続可能な世界を実現するための17の目標を何といいますか。アルファベットで答えなさい。日本語では「持続可能な開発目標」といいます。

(　　　　　　　　　　)

□ ⑨ 温室効果ガスの排出をできるだけ削減し、削減しきれない分は植林などによって二酸化炭素を吸収することで差し引きゼロにすることを何といいますか。

(　　　　　　　　　　)

□ ⑩ 走行中は排気ガスを出さないため、地球温暖化防止でも期待されている、バッテリーに充電した電力を使って走る自動車を何といいますか。アルファベットで答えなさい。

(　　　　　　　　　　)

□ ⑪ 2023年5月に成立した、原子力発電所の60年を超える運転を可能にする法律名を何といいます
か。解答らんにあてはまるようにアルファベットで答えなさい。

（　　　　　　　　　　　　　　　脱炭素電源法）

□ ⑫ 2023年7月、関西電力が12年ぶりに再稼働させた、福井県にある原子力発電所の名前を答えな
さい。

（　　　　　　　　　　　　　　　）

□ ⑬ 一人の女性が一生の間に産む子どもの平均数を合計特殊出生率といいますが、厚生労働省が発
表した2022年の数値を答えなさい。

（　　　　　　　　　　　　　　　）

□ ⑭ 本来食べられるのに捨てられてしまう食品のことを何といいますか。

（　　　　　　　　　　　　　　　）

□ ⑮ 2022年度の日本の食料自給率（カロリーベース）は何％ですか。

（　　　　　　　　　　　　　　　）

□ ⑯ 災害現場での捜索や農薬の散布など活躍の場が広がっている、遠隔操作で飛ばす小型の無人航
空機を何といいますか。

（　　　　　　　　　　　　　　　）

□ ⑰ 特定の人種や民族などへの憎悪をあおる言動のことで、「差別的憎悪表現」といわれるものを何
といいますか。

（　　　　　　　　　　　　　　　）

□ ⑱ 階段などの段差の解消、使いやすく広いトイレ、点字ブロックなど、障がいを持つ人・高齢の
人なども社会生活がしやすいように環境を整えることを何といいますか。

（　　　　　　　　　　　　　　　）

□ ⑲ 人間の脳と同じように、学習したり、推論し判断したりすることができる人工知能のことを何
といいますか。略称をアルファベット2字で答えなさい。

（　　　　　　　　　　　　　　　）

□ ⑳ 蓄積したデータのパターンやつながりを学習し、使用者の指示（プロンプト）に沿って新しい文
章や画像、動画といったコンテンツを作り出すことができる⑲（人工知能）を何といいますか。

（　　　　　　　　　　　　　　　）

□ ㉑ 政府は2024年7月に新紙幣を発行する予定です。一万円札、五千円札、千円札の肖像画に選ば
れた人物の名前をそれぞれ答えなさい。

（一万円札：　　　　　　　　、五千円札：　　　　　　　　、千円札：　　　　　　　　）

■ 次の各問いに答えなさい。

□ ① 2022年2月24日、ロシアがある国に軍事侵攻し、戦争が始まってから1年がたちました。ロシアの大統領の名前を答えなさい。

（　　　　　　　　　　　　　）

□ ② 2022年2月からロシア軍の侵攻によって多くの国民が被害を受け、周辺国に避難している国の名前を答えなさい。また、この国の大統領の名前を答えなさい。

（国：　　　　　　　　　　　、大統領：　　　　　　　　　　　）

□ ③ 2023年8月、アメリカのワシントン郊外で、日米韓3か国首脳会談が行われました。この会談を主催したアメリカの大統領の名前を答えなさい。

（　　　　　　　　　　　　　）

□ ④ 2022年5月に韓国の大統領に就任した人物の名前を答えなさい。2023年3月に初来日し、岸田首相と首脳会談を行いました。

（　　　　　　　　　　　　　）

□ ⑤ アメリカとの間で、貿易戦争を軸に香港や台湾、南シナ海の問題などで対立が深まっている中国の最高指導者の名前を答えなさい。

（　　　　　　　　　　　　　）

□ ⑥ 中国への抗議活動を取り締まる「国家安全維持法」が施行された、中国の特別行政区であるこの地域の名前を答えなさい。2023年6月で施行から3年となりました。

（　　　　　　　　　　　　　）

□ ⑦ 中国が「中華人民共和国の一部」と主張する、半導体大国ともよばれている地域はどこですか。2023年3月、中米のホンジュラスがこの地域と国交を断絶し、中国と外交関係を結びました。

（　　　　　　　　　　　　　）

□ ⑧ 中国主導で進めるアジア、ヨーロッパ、アフリカ大陸にまたがる広域経済圏構想を何といいますか。2023年で、構想提唱から10年を迎えます。

（　　　　　　　　　　　　　）

□ ⑨ 2023年4月、フィンランドの正式加入により31か国体制となった、アメリカ・カナダとヨーロッパ諸国の軍事同盟「北大西洋条約機構」の略称をアルファベットで答えなさい。

（　　　　　　　　　　　　　）

□ ⑩ 太平洋を取り囲む国々の間で、関税を撤廃した貿易の自由化などを進めるための取り決めの略称をアルファベットで答えなさい。2023年7月にイギリスが加盟して、加盟国は12か国となりました。

（　　　　　　　　　　　　　）

□ ⑪ 2023年5月にロンドンのウェストミンスター寺院で、エリザベス女王以来70年ぶりの戴冠式が開催されたイギリス国王の名前を答えなさい。

（　　　　　　　　　　　　　　　）

□ ⑫ 2023年5月、世界の主な7か国の首脳が集まり、ウクライナ問題や核軍縮などをテーマに議論した会議を通称で答えなさい。また、その会議が開催された日本の都市名を答えなさい。

（通称：　　　　　　　　　　　　、都市名：　　　　　　　　　）

□ ⑬ 193か国が加盟する（2023年8月現在）国際連合（UN）の本部がある、アメリカの都市の名前を答えなさい。

（　　　　　　　　　　　　　　　）

□ ⑭ 元ポルトガル首相で、2023年8月現在の国連の事務総長の名前を答えなさい。

（　　　　　　　　　　　　　　　）

□ ⑮ 2022年6月の国連総会で日本が選出され、2023年1月から2年間の任期を務めている安全保障理事会における役割の名称は何ですか。日本は加盟国中最も多い12回目の安保理入りです。

（　　　　　　　　　　　　　　　）

□ ⑯ 2022年6月、ある条約の第1回締約国会議がオーストリアのウィーンで開催されました。日本は署名・批准していないこの条約名を答えなさい。

（　　　　　　　　　　　　　　　）

□ ⑰ 原子力の軍事利用を防ぐために核開発を行う国に核査察を行い、原子力の平和利用を促進する「核の番人」とよばれる機関の名前を答えなさい。

（　　　　　　　　　　　　　　　）

□ ⑱ 2023年4月、国の正規軍と、その傘下にある準軍事組織の衝突がぼっ発した国の名前を答えなさい。この国では1956年の独立以来、武力衝突が繰り返されてきました。

（　　　　　　　　　　　　　　　）

□ ⑲ 戦争などで住む場所を失ったり、政治的対立、宗教的・人種的迫害などの危険から逃れるため、住んでいた国を離れざるを得なくなった人々のことを何といいますか。

（　　　　　　　　　　　　　　　）

□ ⑳ 2023年1月、欧州連合（EU）の統一通貨・ユーロを導入した国の名前を答えなさい。

（　　　　　　　　　　　　　　　）

□ ㉑ 2020年以降の地球温暖化対策の枠組みを定めた国際協定の名前を答えなさい。

（　　　　　　　　　　　　　　　）

次の各問いに答えなさい。

□ ① 小惑星探査機「はやぶさ2」が2020年に持ち帰った地表や地下のサンプルの分析を進めた結果、2022年に水やアミノ酸、2023年にはウラシルやビタミンB3の存在が史上初めて確認された小惑星を何といいますか。

（　　　　　　　　　　　　　）

□ ② アメリカ、ロシア、ヨーロッパ諸国、カナダ、日本の15か国の共同で建設された、高度約400kmの宇宙空間にある大型の有人実験施設を何といいますか。

（　　　　　　　　　　　　　）

□ ③ 宇宙飛行士を②に運ぶためにアメリカの宇宙企業「スペースX」が開発した、民間初の有人宇宙船を何といいますか。

（　　　　　　　　　　　　　）

□ ④ 2023年8月27日に②に到着し、2011年以来2回目の長期滞在を開始した、日本人宇宙飛行士の名前を答えなさい。

（　　　　　　　　　　　　　）

□ ⑤ ②に約5か月滞在し、2023年3月に帰還した、通算宇宙滞在期間が日本歴代1位である日本人宇宙飛行士の名前を答えなさい。

（　　　　　　　　　　　　　）

□ ⑥ 2023年8月23日、インドの無人月探査機が世界で初めて月の南極近くへの着地に成功しました。この探査機の名前を答えなさい。

（　　　　　　　　　　　　　）

□ ⑦ 2023年4月20日に沖縄や小笠原諸島でも観測された、太陽・月・地球の並びが一直線上になり、月が太陽の一部を隠す天文現象を何といいますか。

（　　　　　　　　　　　　　）

□ ⑧ 中国大陸の砂漠域や黄土高原で、風によって巻き上げられた砂やちりが、偏西風に乗って日本まで飛んでくる現象を何といいますか。

（　　　　　　　　　　　　　）

□ ⑨ 太平洋赤道域の日付変更線付近から南米沿岸にかけて、海面水温が平年より高くなる現象を何といいますか。2023年6月、気象庁はこの現象の発生を発表しました。

（　　　　　　　　　　　　　）

□ ⑩ 群馬県桐生市で9月19日に最高気温35.6℃を記録し、35℃以上が46日となり、過去最高日数を更新しました。この最高気温が35℃以上の日を何といいますか。

（　　　　　　　　　　　　　）

□ ⑪ 気温や湿度が高い気象状況の中で、めまいや失神、疲労感、吐き気などが起こることを指し、こまめな水分補給や休息などによって予防できる症状を何といいますか。

(　　　　　　　　　　　　　)

□ ⑫ 気温、湿度、地面・建物などから出る熱から計算される、⑪が発生する危険度を示す指標を何といいますか。

(　　　　　　　　　　　　　)

□ ⑬ ⑫が33以上と予想される場合に、⑪への注意を呼びかけ、予防行動を促すことを目的に発信される情報を何といいますか。

(　　　　　　　　　　　　　)

□ ⑭ 大雨、高潮などにより数十年に一度の大災害が起こる恐れが著しく大きい場合に、気象庁が発表する警報を何といいますか。

(　　　　　　　　　　　　　)

□ ⑮ 次々と発生する積乱雲が列をなし、同じ場所に長時間激しい雨を降らせる雨域を何といいますか。気象庁は2023年５月、この発生を従来より最大30分早く発表する運用を始めました。

(　　　　　　　　　　　　　)

□ ⑯ 2023年２月から気象庁が発表する緊急地震速報 (警戒) の基準に追加された、大地震の発生時に起こる周期が長いゆっくりとした大きな揺れを何といいますか。

(　　　　　　　　　　　　　)

□ ⑰ 100年前の1923年９月１日に首都圏を襲った、推定マグニチュード7.9の地震によってもたらされた災害を何といいますか。この災害が由来となって９月１日が「防災の日」となりました。

(　　　　　　　　　　　　　)

□ ⑱ 巨大地震の発生が警戒されている、駿河湾から九州東方沖の海底に広がっている水深4000ｍ級の深い溝を何といいますか。

(　　　　　　　　　　　　　)

□ ⑲ もともとの生息地ではない場所に人間によって持ち込まれ、人や生態系に害を及ぼす可能性があると指定された生物のうち、アカミミガメやアメリカザリガニのように野外への放出、輸入、購入などは禁止されるが、ペットとしては飼育できる生物の通称を何といいますか。

(　　　　　　　　　　　　　)

□ ⑳ 魚を確認することができる最も深い場所はどこですか。2023年にギネス世界記録に認定されました。

(　　　　　　　　　　　　　)

ひと目でわかる 日本の世界遺産

●文化遺産

白川郷・五箇山の 合掌造り集落	白川郷と五箇山に残る、豪雪地帯特有の急こう配のかやぶき屋根を持つ合掌造りの民家からなる。
岐阜県・富山県　1995年	

●文化遺産

古都京都の文化財	平安京遷都以降の京都を代表する17の寺社・城からなる。鹿苑寺（金閣）・慈照寺（銀閣）・清水寺・平等院・二条城・延暦寺など。
京都府・滋賀県　1994年	

●文化遺産

古都奈良の文化財	平城京の地、奈良を代表する8つの寺院などからなる。東大寺・唐招提寺・薬師寺・平城宮跡・春日大社など。
奈良県　1998年	

●文化遺産

姫路城	桃山文化を代表する建築物。白しっくいでぬり固められた白壁の城で、その美しさから白鷺城とも呼ばれる。
兵庫県　1993年	

●文化遺産

石見銀山遺跡と その文化的景観	戦国時代後期から江戸時代前半に開発された銀鉱山跡を中心に構成され、日本初の「産業遺産」として登録。
島根県　2007年	

●文化遺産

原爆ドーム	1945年8月6日、世界で初めて都市に投下された原子爆弾の惨劇を伝える建物。「負の遺産」とも呼ばれる。
広島県　1996年	

●文化遺産

『神宿る島』宗像・ 沖ノ島と関連遺産群	神宿る島として古代祭祀の記録を残す考古遺跡と信仰の場として評価された沖ノ島と関連遺産。
福岡県　2017年	

●文化遺産

長崎と天草地方の 潜伏キリシタン関連遺産	江戸幕府がキリスト教を禁じた時代にひそかに信仰を守り続けた「潜伏キリシタン」が育んだ文化的伝統を示す遺産群。12の資産で構成されている。
長崎県・熊本県　2018年	

※ ●印の12資産

▶「長崎と天草地方の潜伏キリシタン関連遺産」の構成資産のひとつ、国宝「大浦天主堂」。

●文化遺産

琉球王国のグスク 及び関連遺産群	450年続いた琉球王国の文化遺産からなる。2000円札に描かれた守礼門は、首里城の城門の一つ。グスクとは城のこと。2019年10月末に発生した火事で正殿などが焼失。
沖縄県　2000年	

萩（山口県）

沖ノ島

宗像　八幡（福岡県）

佐賀（佐賀県）

三池（福岡県・熊本県）

長崎（長崎県）

鹿児島（鹿児島県）

●文化遺産　　※■印の8エリア

明治日本の 産業革命遺産	日本の近代化に貢献した産業遺産群として、萩（山口県）、鹿児島、韮山（静岡県）、釜石（岩手県）、佐賀、長崎、三池（福岡・熊本県）、八幡（福岡県）の8エリア23資産で構成。官営八幡製鉄所、端島炭坑（軍艦島）など。
2015年	

●自然遺産

屋久島	樹齢1000年を超える屋久杉が美しい自然景観を生み出し、多様で固有の希少な動植物が生息。
鹿児島県　1993年	

奄美大島

徳之島

沖縄島

西表島

●自然遺産

奄美大島、徳之島、 沖縄島北部及び西表島	希少な固有種が多く、豊かな自然が特徴。アマミノクロウサギ、ヤンバルクイナ、イリオモテヤマネコなどの希少な生き物が生息している。
鹿児島県・沖縄県　2021年	

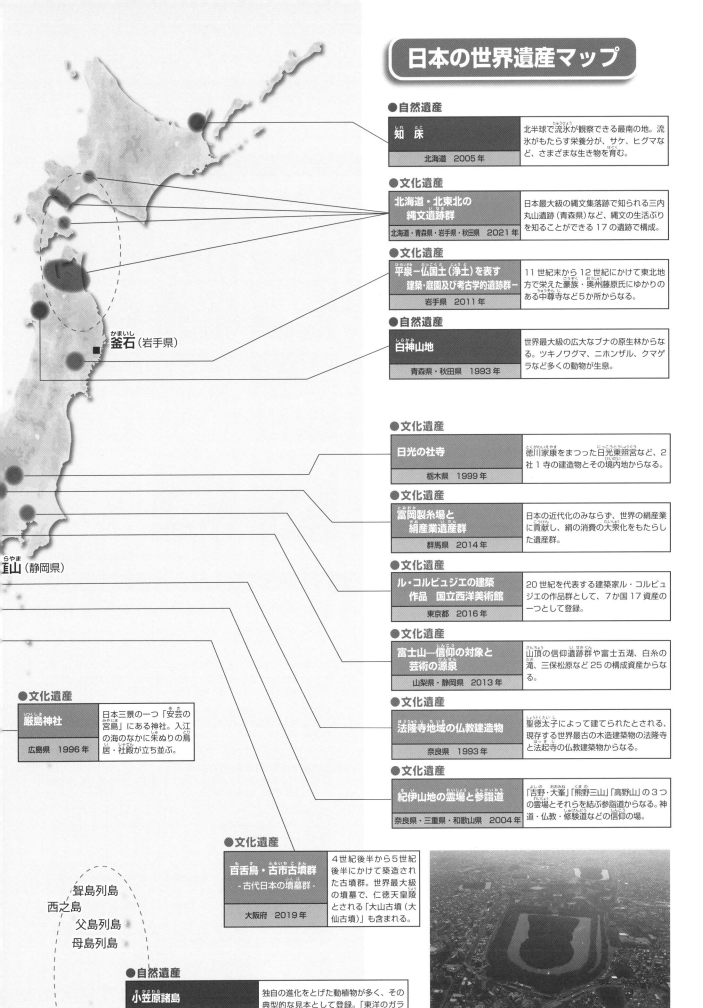

日本の世界遺産マップ

● 自然遺産

知床
北海道　2005年

北半球で流氷が観察できる最南の地。流氷がもたらす栄養分が、サケ、ヒグマなど、さまざまな生き物を育む。

● 文化遺産

北海道・北東北の縄文遺跡群
北海道・青森県・岩手県・秋田県　2021年

日本最大級の縄文集落跡で知られる三内丸山遺跡（青森県）など、縄文の生活ぶりを知ることができる17の遺跡で構成。

● 文化遺産

平泉－仏国土（浄土）を表す建築・庭園及び考古学的遺跡群－
岩手県　2011年

11世紀末から12世紀にかけて東北地方で栄えた豪族・奥州藤原氏にゆかりのある中尊寺など5か所からなる。

● 自然遺産

白神山地
青森県・秋田県　1993年

世界最大級の広大なブナの原生林からなる。ツキノワグマ、ニホンザル、クマゲラなど多くの動物が生息。

● 文化遺産

日光の社寺
栃木県　1999年

徳川家康をまつった日光東照宮など、2社1寺の建造物とその境内地からなる。

● 文化遺産

富岡製糸場と絹産業遺産群
群馬県　2014年

日本の近代化のみならず、世界の絹産業に貢献し、絹の消費の大衆化をもたらした遺産群。

● 文化遺産

ル・コルビュジエの建築作品　国立西洋美術館
東京都　2016年

20世紀を代表する建築家ル・コルビュジエの作品群として、7か国17資産の一つとして登録。

● 文化遺産

富士山—信仰の対象と芸術の源泉
山梨県・静岡県　2013年

山頂の信仰遺跡群や富士五湖、白糸の滝、三保松原など25の構成資産からなる。

● 文化遺産

法隆寺地域の仏教建造物
奈良県　1993年

聖徳太子によって建てられたとされる、現存する世界最古の木造建築物の法隆寺と法起寺の仏教建築物からなる。

● 文化遺産

紀伊山地の霊場と参詣道
奈良県・三重県・和歌山県　2004年

「吉野・大峯」「熊野三山」「高野山」の3つの霊場とそれらを結ぶ参詣道からなる。神道・仏教・修験道などの信仰の場。

● 文化遺産

厳島神社
広島県　1996年

日本三景の一つ「安芸の宮島」にある神社。入江の海のなかに朱ぬりの鳥居・社殿が立ち並ぶ。

● 文化遺産

百舌鳥・古市古墳群 - 古代日本の墳墓群 -
大阪府　2019年

4世紀後半から5世紀後半にかけて築造された古墳群。世界最大級の墳墓で、仁徳天皇陵とされる「大山古墳（大仙古墳）」も含まれる。

● 自然遺産

小笠原諸島
東京都　2011年

独自の進化をとげた動植物が多く、その典型的な見本として登録。「東洋のガラパゴス」とも呼ばれている。

釜石（岩手県）

山（静岡県）

聟島列島
西之島
父島列島
母島列島
火山列島

▲大山古墳（大仙古墳、手前）などがある百舌鳥古墳群。

SDGsの基本理念は「誰一人取り残さない」

SUSTAINABLE DEVELOPMENT GOALS

https://www.un.org/sustainabledevelopment/

目標とターゲット

1 地球上のあらゆる形の貧困をなくそう
1日1.25ドル以下で暮らす極度に貧しい人をなくす。人々の生活を守るたしかな仕組みをつくる。

2 飢えをなくし、誰もが栄養のある食料を十分に手に入れられるよう、地球の環境を守り続けながら農業を進めよう
貧しい人も幼児も皆、常に安全で栄養のあるものを十分食べられるようにする。

3 誰もが健康で幸せな生活を送れるようにしよう
お産で命を落とす母親や、生まれてすぐに死んでしまう子を減らす。

4 誰もが公平に、良い教育を受けられるように、また一生に渡って学習できる機会を広めよう
男の子も女の子も質の高い教育を無料で受け、小中学校を卒業できるようにする。

5 男女平等を実現し、すべての女性と女の子の能力を伸ばし可能性を広げよう
女性の差別や売買、女性を傷つける習わしをなくし、社会で重要な役割を担えるようにする。ジェンダー平等を実現する。

6 誰もが安全な水とトイレを利用できるようにし、自分たちでずっと管理していけるようにしよう
世界中の水質を改善し、誰でも安全な水を安く利用できるようにする。水に関わる生態系を守り、回復させる。

7 すべての人が、安くて安全で現代的なエネルギーをずっと利用できるようにしよう
誰もが安定して安いエネルギーを使えるようにする。再生可能エネルギーの割合を増やす。

8 みんなの生活を良くする安定した経済成長を進め、誰もが人間らしく生産的な仕事ができる社会をつくろう
それぞれの国の状況に応じて、人々が経済的に豊かになっていけるようにする。

9 災害に強いインフラを整え、新しい技術を開発し、みんなに役立つ安定した産業化を進めよう
すべての人が使える、質が高く信頼できるインフラをつくる。研究や開発の基盤を整える。

10 世界中から不平等を減らそう
各国内の貧富の差を緩和し、性別・障害の有無・宗教等に関係なく、誰も社会や政治から取り残されないようにする。

11 誰もがずっと安全に暮らせて、災害にも強いまちをつくろう
誰もが安全な家に住み、安く交通機関を利用できる持続可能なまちをつくる。

12 生産者も消費者も、地球の環境と人々の健康を守れるよう、責任ある行動をとろう
天然資源を効率よく使えるようにする。食品ロスを半減させ、化学物質の放出やごみを減らす。

13 気候変動から地球を守るために、今すぐ行動を起こそう
すべての国が気候に関する災害への対応力を備える。また、気候変動対策に取り組む。

14 海の資源を守り、大切に使おう
海洋ごみや富栄養化、海洋酸性化を防ぎ、水産資源の回復に努める。

15 陸の豊かさを守り、砂漠化を防いで、多様な生物が生きられるように大切に使おう
森林、湿地、山地、乾燥地など陸上の生態系と、内陸の淡水地域の生態系を守り、回復させる。植林を進める。

16 平和で誰もが受け入れられ、すべての人が法や制度で守られる社会をつくろう
あらゆる形の暴力や汚職を減らす。子どもの虐待、人身売買をなくす。

17 世界のすべての人がみんなで協力しあい、これらの目標を達成しよう
途上国に対するさまざまな形の援助や投資を増やし、必要に応じて借金軽減などを行う。

SDGs 関連年表

1992年	**「地球サミット」でアジェンダ 21 を採択** 　1970 年代初め頃から人間環境についてさまざまな決定がなされるようになり、その後、オゾン層の破壊、地球温暖化、熱帯林の破壊や生物の多様性の喪失など地球環境問題が深刻化し、世界的規模での早急な対策の必要性が指摘された。その結果、1992 年に、「国連環境開発会議」（UNCED、「地球サミット」）がブラジルのリオデジャネイロで開催された。 　そこで合意されたのが、「環境と開発に関するリオ宣言」、「森林に関する原則声明」、そして世界各国が取り組むべき課題を一覧にして行動原則を定めた「アジェンダ 21」という文書だ。同会議には、182 カ国及び EC（ヨーロッパ共同体）、その他多数の国際機関、NGO 代表などが参加した。 ※アジェンダ：（必ず実行すべき）計画のこと
1997年	**「国連環境開発特別総会」** 　「地球サミット」から 5 年を経た 1997 年、国連環境開発特別総会（UNGASS）が開催され、「アジェンダ 21 の一層の実施のための計画」を採択した。
	「COP3」での京都議定書締結 　国連気候変動枠組条約（UNFCCC）に基づき設置された常設の最高意思決定機関である「気候変動枠組条約締約国会議」の略称を COP という。1995 年にドイツのベルリンで開催された第一回気候変動枠組条約締約国会議（COP1）以降、毎年開催されている。 　1997 年に京都市で開かれた COP3 で採択された国際的な約束を京都議定書という。京都議定書では、先進国の各国が二酸化炭素などの温室効果ガスを将来どのくらい削減するかが決められた。「2008 ～ 2012 年で、地球温暖化の原因である温室効果ガスを 1990 年比で約 5% 削減する」などの具体的目標が盛り込まれた。
2000年	**国連ミレニアム宣言（MDGs）の採択** 　国連ミレニアム・サミットが開催され、「平和と安全」「開発と貧困」「環境保全」「人権」などの課題を提示、解決に向けての目標や加盟各国の役割を明文化した「国連ミレニアム宣言」を採択した。それをもとにまとめられたのが、SDGs の前身となる「ミレニアム開発目標」で MDGs である。 　◎ MDGs が 2015 年を期限とした達成目標。 　目標 1：極度の貧困と飢餓の撲滅 　目標 2：初等教育の完全普及の達成 　目標 3：ジェンダー平等推進と女性の地位向上 　目標 4：乳幼児死亡率の削減 　目標 5：妊産婦の健康の改善 　目標 6：HIV ／エイズ、マラリア、その他の疾病の蔓延の防止 　目標 7：環境の持続可能性確保 　目標 8：開発のためのグローバルなパートナーシップの推進
2002年	**「持続可能な開発に関する世界首脳会議」（ヨハネスブルグ・サミット）** 　地球サミットから 10 年後の節目に当たる 2002 年 9 月に、アジェンダ 21 の見直しや新たに生じた課題などについて議論を行うため、「持続可能な開発に関する世界首脳会議」（WSSD、「ヨハネスブルグ・サミット」）が開催され、「ヨハネスブルグ実施計画」が採択された。
2015年	**「COP21 でのパリ協定締結」** 　京都議定書の後継であるパリ協定は、2015 年にパリで開かれた、COP21 で合意された。京都議定書では一部の先進国に温室効果ガス排出削減が限られていたのに対し、この協定ではすべての国において取り組みが進むことが約束された。世界的な平均気温上昇を「産業革命以前に比べて 2℃より十分低く保つとともに、1.5℃に抑える努力を追求すること」が目標として掲げられている。
	国連の全加盟国の全会一致で SDGs が採択 　2015 年、国連サミットが開催され、SDGs が全会一致で決議された。「誰一人取り残さない」をモットーにした 17 のゴールと 169 のターゲットだ。MDGs で残した課題や新たな課題をあらたな目標に掲げた。ゴールは 2030 年。

◆ 17の目標に誰がどのように取り組むのか？

　SDGsを推進するおおもとの存在は国際連合です。国連の組織の中で、平和の維持・紛争の調停・制裁などを扱う「安全保障理事会」と、国同士の訴訟を裁く「国際司法裁判所」以外は、もともとSDGsに掲げられているさまざまな課題の解決に深く関わる仕事をしています。たとえば、WHO（世界保健機関）は保健・衛生の分野で世界に目を配り、UNICEF（国連児童基金）は子どもを対象に貧困の問題などに取り組んでいます。また、国際女性デーなどの記念日を設け、さまざまなメッセージを発信しています。

　しかし、こうした国連主導の動きだけでは課題への取り組みが充分でなく、場合によって解決が間に合わなくなるという危機感から、より幅広い参加を促すためにSDGsは採択されたのです。

◆ 民間組織や一般の人々の参加が重要

　次に各国の政府や自治体です。SDGsが求める社会の変革や環境保全等を進めるには、そのためのルールをつくり、新しい循環のしくみを構築していかなければなりません。自然エネルギーへの転換を図る支援政策や、女性の地位向上のためのガイドラインを示し民間に普及させていくことは公的機関の仕事です。

　そして、SDGsで最も重要なのは、企業などの民間組織や一般の人々が行動に加わることです。2019年の国連サミットでは2020年代を「行動の10年」と定め、2030年までに目標を達成するにはこれまで以上に幅広い民間セクター（企業などを指す）の協力が必要だと呼びかけました。

　一方、企業の間でもSDGsへの参加の機運は高まっています。世界のトップ企業のリーダーが大勢集まる世界経済フォーラム（WEF）の年次総会（通称ダボス会議）で、「企業がSDGsの目標を達成することでビジネスにも大きな利益がもたらされる」という予測が発信されたことなどが、積極的に参加する企業の増加につながりました。

　さらに、SDGsは学校活動に取り入れられたり、盛んに報道されたりすることによって、人々によく知られるようになり、生活の中での判断基準として意識されるようになってきています。

フードロスの現場。うずたかく積まれたパンの中には、賞味期限が切れていないパンも含まれていた（神奈川県相模原市、朝日新聞社／時事通信フォト）。

◆ 学校で、家庭で、自分自身でできること

　全員参加のSDGsは一般の人々や小中高校生も例外ではありません。最後に「自分は何ができるのか」を考えてみましょう。

　「持続可能な社会」の維持が難しい現代で、その原因となっているのは人々の産業活動と生活のあり

生活の中で実践するSDGs

毎日の生活の中にSDGsの目標達成に参加できる行動がたくさんあります。

●**地産地消を心がける**

→⑦⑬エネルギー節約、CO_2排出削減

　地元で作られた野菜、国産の食品は輸送距離が短い。

●**食品はムダなく食べよう**

→②⑦⑫食品ロス対策

●**節水！**

→⑥水資源保護

　シャワーは短時間で済ませるなど、節約する。

●**節電！**

→⑦⑬エネルギー節約、CO_2排出削減

　使っていない電化製品はスイッチオフ。

●**ゴミの分別はしっかり**

→⑭⑮環境保全

●**近所は徒歩か自転車、外出は公共交通機関**

→⑦⑬エネルギー節約、CO_2排出削減

　移動手段を選べばCO_2削減に貢献できる。

●**エコバッグ、マイバッグで買い物に**

→⑭海の環境保全

　レジ袋も過剰包装のうち。

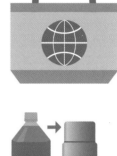

●**ポイ捨ては絶対ダメ**

→⑭⑮環境保全

　ペットボトルや包装プラスチックの末路は海洋プラごみ。

●**水筒を使おう**

→⑭⑮環境保全

　買った飲料の容器はごみ箱に入れても使い捨てには変わりない。

●**フェアトレード商品を選ぶ**

→①⑩⑰平等なビジネス

　買い物で、公正な世界の実現へ貢献ができる。

●**プラスチック利用は控えめに**

→⑭海の環境保全

　安価だからといってプラスチック製品に頼り過ぎない。

かたです。そのうち私たちが直接向き合うことができるのは自分自身の日常生活です。

①使い捨てを減らす。

②なるべくムダを出さない。

③食料・資源などは限りのあるものだと認識する。

　この３つのポイントを押さえて、適切な行動をとるようにしましょう。そしてもうひとつ、学校や地域などで行われるSDGsの活動にできるだけ積極的に参加し、今世界で課題になっていることを知り、実際に体験するなどして理解を深めることが大切です。「持続可能な発展」という理念を共有している人が増えていけば、世界はよい方向に動いていくことになるでしょう。

2023年の〇〇年前に何が？

170年前	1853年	アメリカ合衆国のペリーが浦賀（神奈川県横須賀市）に来航する。
155年前	1868年	明治維新。五か条の御誓文が出される。
150年前	1873年	徴兵令が出される（満20歳以上の男子に兵役の義務）。
		地租改正が行われる（地価の3%を現金で納める）。
100年前	1923年	関東大震災が起こる。
70年前	1953年	テレビ放送が開始される（NHK東京テレビジョン局）。
65年前	1958年	浅間山の噴火が起こる。
		東京タワーが開業する。
60年前	1963年	アメリカ合衆国大統領ケネディが暗殺される。
55年前	1968年	核拡散防止条約（NPT）の調印が行われる。
		小笠原諸島が日本に復帰する。
50年前	1973年	日航機ハイジャック事件が起こる。
		第一次石油危機（オイルショック）が起こる。
45年前	1978年	日中平和友好条約が締結される。
40年前	1983年	三宅島の噴火が起こる。
35年前	1988年	青函トンネルが開業する。
		瀬戸大橋が開通する。
30年前	1993年	欧州連合（EU）が発足（2023年10月現在27か国）
		「法隆寺地域の仏教建造物」、「姫路城」が日本で初めて世界遺産に登録される。
25年前	1998年	長野県で冬季オリンピックが開催される。
		奈良県明日香村のキトラ古墳で極彩色の壁画が発見される。
20年前	2003年	イラク戦争が起こる。
		小惑星探査機「はやぶさ」が打ち上げられる。
15年前	2008年	宇宙飛行士星出彰彦さんを乗せ、スペースシャトル「ディスカバリー」打ち上げ成功。6月日本実験棟「きぼう」船内実験室入り。
		アメリカ合衆国の大手金融機関の破綻により、リーマンショックが起こる。

2024 年入試 予想総合問題

予想問題　社会・理科総合（1）
〔自然災害〕

次の文章を読んで、あとの問いに答えなさい。

　「地球温暖化の時代は終わり、地球　　A　　の時代が来た」とは、国連の事務総長　　B　　氏の言葉です。世界各地でこれまでにない猛暑が続いています。2023年4月以降、インドやタイなどを熱波が襲い、タイでは観測史上最高の45℃以上を記録した都市がありました。中国の首都北京では、6月に最高気温が40℃をこえました。カナダでは①山火事が多発し、今年に入り、8月20日現在で約5800件発生しました。焼失面積は日本の国土面積の約37％に当たる約　　C　　km²に上り、過去最悪の被害です。8月にはアメリカの②ハワイ・　　D　　島で大規模な山火事が発生し、100人以上の死者・行方不明者が出ました。アメリカの山火事では、過去100年で最多の犠牲者数です。山火事が発生したころ、　　E　　がハワイ諸島付近を通るところで、その強風が被害を一挙に拡大したとみられています。中米のパナマでは、雨期にもかかわらず日照り続きのためパナマ運河は異例の水不足となり、船の航行が制限されました。7月末、アメリカのフロリダ沖の海面水温が38℃以上になり、お風呂並みの高温になりました。③北極海では、海氷の溶ける速度が加速しているようで、夏に氷が消失する事態は、早ければ2030年代に起こる可能性があるといわれています。

　④猛暑は日本も襲いました。⑤気象庁の発表によると、7月の⑥東京は、最高気温が　　F　　℃以上の猛暑日が13日あり、過去最多を記録しました。1日の最低気温が　　G　　℃以上となる熱帯夜も17日に達し、歴代4位。7月に日本各地で記録的猛暑になった要因の一つが、⑦偏西風の蛇行といわれています。今夏は猛暑に加え、各地で⑧記録的大雨をもたらし、浸水や土砂崩れが相次いで発生しました。

　では、どうして世界各地で異常気象が発生しているのでしょうか。それは温暖化の影響が大きいとみられています。特に今年は異常気象の原因とされる　　H　　現象が4年ぶりに発生し、地球規模で海面水温や気温を引き上げているとされています。世界気象機関の予測では、今後5年以内に世界平均気温が過去最高になる可能性が高いとみています。地球温暖化対策の国際ルールである　　I　　では、産業革命前からの気温上昇を　　J　　℃におさえることを努力目標としていますが、一時的にこれをこえてしまう可能性が高いようです。

問1　　A　・　E　・　H　・　I　にあてはまる語句を次のア～サから選び、それぞれ記号で答えなさい。

ア　超温暖化　　　　　イ　沸騰化　　　　　ウ　ハリケーン　　　エ　サイクロン　　　オ　台風

カ　ラニーニャ　　　　キ　エルニーニョ　　ク　ドーナツ化　　　ケ　京都議定書

コ　ラムサール条約　　サ　パリ協定

問2　　B　にあてはまる人物名を答えなさい。

問3　　C　にあてはまる数値を次のア～エから選び、記号で答えなさい。

ア　4万　　　　イ　14万　　　ウ　24万　　　エ　34万

問4　　　D　　にあてはまる島名を次のア～エから選び、記号で答えなさい。
　　　ア　グアム　　　イ　ビキニ　　　ウ　オアフ　　　エ　マウイ

問5　　　F　・　G　・　J　にあてはまる数値を次のア～クから選び、それぞれ記号で答えなさい。
　　　ア　1.0　　　　イ　1.5　　　　ウ　2.0　　　　エ　20　　　　オ　25
　　　カ　30　　　　キ　35　　　　ク　40

問6　下線部①について、次の問いに答えなさい。
　　⑴　山火事（森林火災）が急増している要因は温暖化の進行が関係しているといわれています。なぜです
　　　　か。15字以上30字以内で答えなさい。
　　⑵　山火事（森林火災）は温暖化を進めるといわれています。なぜですか。その理由を2つ答えなさい。

問7　下線部②について述べた文として適切でないものを次のア～オから選び、記号で答えなさい。
　　　ア　ハワイはアメリカ合衆国の50番目の州で最も新しい州である。
　　　イ　ハワイの主な産業は観光業で、多くの日系人がくらしている。
　　　ウ　ハワイはさとうきびやパイナップルの栽培が盛んである。
　　　エ　第二次世界大戦後、多くの日本人がハワイに移住した。
　　　オ　1941年12月8日、日本軍はハワイの真珠湾を奇襲した。

問8　下線部③について、北極海の海氷が少なくなると、なぜ海氷が溶ける速度が加速するのですか。その理由
　　　を15字以上35字以内で答えなさい。

問9　下線部④について、北陸などでは、山をこえて熱風が吹き下ろす（　　　　　）現象の影響で猛暑が続いたと
　　　されています。（　　　）にあてはまる語句を答えなさい。

問10　下線部⑤について、気象庁は何省に属していますか。省名を答えなさい。

問11　下線部⑥について、東京をはじめ名古屋、大阪、福岡の4つの観測所の平均気温は、近代的な観測が始まっ
　　　てから126年で約3.2℃上がりました。大都市部の気温の上昇が大きい理由は、（　　　　　）現象のためといわ
　　　れています。（　　　）にあてはまる語句を答えなさい。

問12　下線部⑦について、偏西風の利用や影響に関係する文として適切でないものを次のア～エから選び、記号
　　　で答えなさい。
　　　ア　日本の天気は西から東に変わりやすい。
　　　イ　中国から黄砂やPM2.5などが日本に飛んでくる。
　　　ウ　太平洋戦争の末期、日本軍はアメリカをめざして風船爆弾を飛ばした。
　　　エ　日本からアメリカに航空機で行く場合、行きの方が帰りより時間がかかる。

問13　下線部⑧について、2023年の台風13号は千葉、茨城などで局地的な豪雨をもたらす（　　　　　）が発生し、
　　　土砂災害や洪水をひきおこしました。（　　　）にあてはまる語句を漢字5字で答えなさい。

予想問題　社会総合（2）
〔G7 広島サミット〕

次の文章を読んで、あとの問いに答えなさい。

2023年5月、G7サミットが①広島市で開かれました。G7は「グループ・オブ・セブン」の略で7カ国、「サミット」は「頂上」という意味の英語です。つまり、日本を含む世界の主要7カ国の首脳が集まって、国際社会がかかえている政治・経済、地球規模の問題などについて意見を交わす会議（主要国首脳会議）です。主要国の大統領や首相、　　A　　の代表が参加し、毎年1回開かれています。開催地は持ち回りで、会議の議長は開催国が担当します。今回は岸田文雄首相が務めました。次回の開催国は　　B　　です。

第1回のサミットは1975年に、フランスで開かれました。1973年に起こった②石油危機（オイルショック）で混乱した世界経済を立て直すため、フランス大統領の提案で開催されたものです。会議には、≪　　　　≫の6カ国が参加し、先進国首脳会議とよばれていました。翌1976年にカナダ、1998年にはロシアが正式に加わりG8となりました。しかし、2014年、ロシアが③ウクライナの　　C　　半島を併合したため、ロシアは除かれG7になり、今日に至っています。

日本では、④1979年（東京）、⑤1986年（東京）、⑥1993年（東京）、⑦2000年（九州・沖縄）、⑧2008年（北海道洞爺湖）、⑨2016年（伊勢志摩）に開かれ、広島サミットで7回目でした。

今回のサミットの成果をまとめた首脳声明には、●ウクライナに対する支援の強化　●「⑩核兵器のない世界」に向けての取り組み　●　　D　　と呼ばれる新興国や途上国との関係強化などが盛り込まれました。また、気候変動、環境、エネルギー、貿易、食料安全保障、感染症対策などの保健、デジタル・生成AI、ジェンダー、難民といった地球規模の様々な課題の対策を、　　D　　とも連携して進めることが確認されました。

台湾や南シナ海などをめぐる「米中の対立」に加え、ロシアのウクライナ侵攻によって国際秩序が大きくゆれ動いています。さらに、近年はG7の影響力が低下しているといわれています。そのような中で開かれた広島サミットは、G7のまとまりを示すことができたといえるでしょう。しかし、　　D　　と呼ばれる国々に首脳声明がどこまで理解されたかは定かではありません。G7の議長国として、今後も各国との対話を粘り強く続けることが求められています。

問1　≪　≫にあてはまる国を次のア～コから6つ選び、記号で答えなさい。
　　ア　オーストラリア　　　イ　アメリカ　　　ウ　イギリス　　　エ　中国　　　オ　イタリア
　　カ　西ドイツ　　　　　　キ　日本　　　　　ク　フランス　　　ケ　インド　　コ　ブラジル

問2　　　A　　が発足して2023年は30年の節目の年です。　　A　　にあてはまる語句を答えなさい。

問3　　　B　　にあてはまる国名を答えなさい。

問4　　　C　　にあてはまる半島名を次のア～エから選び、記号で答えなさい。
　　ア　イベリア　　　イ　フロリダ　　　ウ　スカンディナビア　　　エ　クリミア

問5　　　D　　にあてはまる語句をカタカナ8字で答えなさい。

問6　下線部①と広島県について述べた文として正しいものを次のア〜オからすべて選び、記号で答えなさい。
　　　ア　広島市は中国地方の中心都市で高等裁判所がある。
　　　イ　広島市は政令指定都市であるが、人口は100万人以下である。
　　　ウ　広島県には世界文化遺産が2か所ある。
　　　エ　広島県のかき類の収獲量は宮城県に次いで全国2位である。
　　　オ　岸田文雄首相は広島選出の衆議院議員である。

問7　下線部②について、石油危機が発生するきっかけとなった戦争名を7字で答えなさい。また、この戦争はアラブ諸国とどこの国との戦争でしたか、国名を答えなさい。

問8　下線部③について、今回のサミットには最終日にウクライナ大統領が参加し、ウクライナに対するさらなる支援と連帯を訴えました。ウクライナ大統領の名前を答えなさい。

問9　下線部④〜⑨について、サミット後、当時のアメリカ大統領が現職のアメリカ大統領としては初めて広島を訪問しました。それは何年開催のサミットか、下線部④〜⑨から選び、番号で答えなさい。また、当時のアメリカの大統領の名前も答えなさい。

問10　下線部⑩について、次の各問いに答えなさい。
　　(1)　広島に原爆が投下された年(西暦)・月・日を答えなさい。
　　(2)　核兵器に対する日本の基本方針となっている「非核三原則」を答えなさい。
　　(3)　以下の文章を読んで、(a)にあてはまる条約名〈漢字5字〉、(b)にあてはまる語句〈3または4字〉をそれぞれ〈　〉の条件にしたがって答えなさい。

> 被爆地の広島でサミットが開かれたことによって、広島発のニュースが連日世界に伝えられ、広島の知名度が高まった。核軍縮に関する「広島ビジョン」も発表されたが、(　a　)条約に全くふれていない。(　a　)条約は国連で採択され、被爆者や市民団体が「核なき世界への大きな一歩」と位置づけている条約だけに、多くの被爆者が今回のサミットに失望したという。日本政府が(　a　)条約に対して後ろ向きなのは、日本がアメリカの「(　b　)」に入っているからといわれている。しかし、アメリカの「(　b　)」に入っているドイツなどは、(　a　)条約の締約国会議にオブザーバーとして出席している。

予想問題　社会総合（3）
〔島国日本〕

次の文章を読んで、あとの問いに答えなさい。

　①日本の国土面積は、北方領土をふくめて約38万k㎡で、世界の陸地の　A　％を占めるにすぎません。世界には約200の国々がありますが、日本は面積の大きさの順位が　B　番台前半で、世界には日本よりせまい国が100以上もあります。

　日本はまわりを海に囲まれた島国です。本州・北海道・九州・四国の主要4島と、それらに付属する大小多くの島々から成り立っています。日本列島の東と南には太平洋、西と北にはユーラシア大陸との間に、オホーツク海・日本海・東シナ海があります。②数多くの島々からなる日本の範囲は、国土面積にくらべてかなり広いのが特徴です。日本の北端は　C　（ア）、③南端は沖ノ鳥島（イ）、東端は南鳥島（ウ）、西端は与那国島（エ）です。　D　の3つの島には日本人の定住者はいません。

　日本は島国であるうえに岬や④湾・半島が多いため、国土面積のわりには⑤海岸線が長い国です。その長さは約3.5万kmもあります。地球1周（赤道）の長さが約　E　万kmであることを考えると、いかに長いかがわかります。日本の海岸線はきわめて長いうえ、変化に富んでいて、いろいろなタイプの海岸があります。地形のうえから大別すると、岩石からできている岩石（磯浜）海岸と、砂や小石からできている砂浜海岸に分けられます。全体的には、太平洋側は大きな湾や半島が多く、出入りの複雑な海岸線の⑥リアス海岸が発達しています。一方、日本海側の海岸は比較的単調で、⑦砂浜海岸が多く、大きな砂丘が発達しているところもあります。このほかにも、日本の南の島々には、生物が形成した海岸もあります。　F　が流れる南西諸島の海岸で見られる　G　で、大切な観光資源となっています。

　九州の有明海や瀬戸内海は、潮の干満の差によって、海岸線が毎日変化しています。このような海岸には広い　H　が見られることがあります。　H　には魚介類や渡り鳥などさまざまな生物が見られます。　H　にはよごれた水をきれいにする働きもあります。しかし、干拓や埋め立てによって　H　は大幅に減少し、自然の海岸も少なくなっています。

問1　A・B・E　にあてはまる数字を次のア〜ケから選び、それぞれ記号で答えなさい。
　　ア　0.25　　イ　0.5　　ウ　1　　エ　2　　オ　3　　カ　4　　キ　30　　ク　60　　ケ　90

問2　C　（漢字3字）・　F　（漢字2または4字）・　G　（4または6字）・　H　（漢字2字）にあてはまる語句をそれぞれ（　　）の指示にしたがって答えなさい。

問3　D　にあてはまる3つの島を文章中の（ア）〜（エ）から選び、記号で答えなさい。

問4　下線部①について述べた文として適切なものを次のア〜ウからすべて選び、記号で答えなさい。
　　ア　日本の国土の約4分の3は、山地・丘陵地で占められている。
　　イ　日本の森林面積は、国土面積の約3分の2を占めている。
　　ウ　日本は環太平洋造山帯に属し、火山や地震がたいへん多い。

問5　下線部②について、次の各問いに答えなさい。

（1）国土地理院が、2023年に日本の島の数を数え直したところ、これまでの２倍以上になったといいます。なぜ増えたのか、その理由を15字以内で答えなさい。また、数え直した結果、何島になったのか、次のア〜エから選び、記号で答えなさい。

　　ア　3776島　　　　イ　6852島　　　　ウ　１万4125島　　　　エ　１万7508島

（2）次の①〜③の各文にあてはまる島名を漢字で答えなさい。また、その島の形を下のア〜オから選び、それぞれ記号で答えなさい。

　　① この島には、世界自然遺産と文化遺産がある。

　　② この島は、かつては鉄砲の伝来、現在は宇宙センターで有名である。

　　③ この島には３つの市があり、本土とは橋で結ばれていて、古代には国分寺があった。

ア	イ	ウ	エ	オ

（縮尺は同一ではない。）

問6　下線部③について、日本の南端と東端に位置する島が所属する都道府県名をそれぞれ漢字で答えなさい。

問7　下線部④について、次の①〜④の各文にあてはまる湾や半島の名前を漢字で答えなさい。

　　① この湾はリアス海岸が続き、天橋立などの景勝地が多い。沿岸には数多くの原子力発電所が設けられ、「原発銀座」と呼ばれている。

　　② ほたて貝の養殖がさかんなこの湾は２つの半島に囲まれ、その形を簡略化したものが県章になっている。

　　③ この半島は３つの県にまたがる日本最大の半島で、東部にはリアス海岸があり、中央部から南岸には、世界文化遺産に登録されているところがある。

　　④ 2023年5月、この半島を震源とする地震が発生し、珠洲市では最大震度６強のゆれを観測した。半島の北部に位置している市は、漆器でよく知られている。

問8　下線部⑤について、右の表は「海岸線の長さ」「島の数」上位３道県を示したものです。表中I・IIにあてはまる県を次のア〜カから選び、それぞれ記号で答えなさい。

　　ア　岩手県　　　イ　沖縄県　　　ウ　長崎県
　　エ　愛媛県　　　オ　熊本県　　　カ　鹿児島県

順位	道県	海岸線（km）	道県	島の数
1位	北海道※	4442	（ I ）	1479
2位	（ I ）	4166	北海道※	1473
3位	（ II ）	2643	（ II ）	1256

※北方四島を含む
※島の数は2023年2月の国土地理院発表による

問9　下線部⑥について、次のA・Bに関するリアス海岸の短所をそれぞれ15字以内で答えなさい。

　　A：災害　　　B：交通

問10　下線部⑦について、砂浜海岸によっては、海岸線が後退している所があります。その理由を「川」という語句を用いて、30字以上40字以内で答えなさい。

予想問題　社会総合（4）
〔関東大震災〕

次の文章を読んで、あとの問いに答えなさい。

1923（大正12）年①9月1日午前11時58分44秒、　A　北西部を震源とする激しい地震が関東地方を襲いました。マグニチュード7.9（推定）の大地震が、東京や横浜を直撃したのです。震源近くだけでなく東京の一部でも、現在の震度7にあたる激しいゆれになりました。関東大震災です。この地震は、海洋プレートの　B　プレートと大陸プレートの　C　プレートの境界で発生した海溝型（プレート境界型）地震で、　D　に起こった②東日本大震災と同じタイプです。死者・行方不明者は10万5000人余り、③約9割が焼死でした。全壊・焼失した家屋は29万戸におよび、被害総額は55億円といわれています。この額は、当時の国の予算の約4倍にあたります。関東大震災によって、日本の経済は不景気になりました（震災恐慌）。

地震発生後の混乱のなかで「朝鮮人が暴動を起こした。」などというあやまったうわさが流されました。このうわさを信じた住民が組織した自警団や軍・警察により、数多くの朝鮮人や中国人、④日本人が殺されました。朝鮮人や中国人に対する　E　意識が当時の日本の社会にひろがっていたことが事件の背景にあるといわれています。

震災後、東京で復興事業を行う政府機関の責任者となったのが、南満州鉄道株式会社の初代総裁や東京市長（今の東京都知事）を務めた　F　です。満州経営の経験などを生かして⑤復興事業に取り組みました。東京より震源に近い横浜は、建物の倒壊によって大量の瓦礫（がれき）が生じたので、それを埋め立てに用いて山下公園を造成しました。

関東大震災後の復興事業は、その後の災害復興の都市計画のお手本となりました。⑥アジア・太平洋戦争（太平洋戦争）後の名古屋市や、⑦阪神・淡路大震災（1995年）後の神戸市の復興事業でも、参考にしています。　F　は、何十年も先のことを考えて復興計画を考えたのです。

問1　　A　にあてはまる湾の名前を漢字で答えなさい。

問2　　B　・　C　にあてはまるプレートの名前を次のア～エから選び、それぞれ記号で答えなさい。
　　ア　太平洋　　　　イ　フィリピン海　　　　ウ　ユーラシア　　　　エ　北米（北アメリカ）

問3　　D　にあてはまる年（西暦）月日を答えなさい。

問4　　E　にあてはまる語句を漢字2字で答えなさい。

問5　　F　にあてはまる人名を次のア～エから選び、記号で答えなさい。
　　ア　渋沢栄一　　　イ　後藤新平　　　ウ　田中正造　　　エ　吉野作造

問6　下線部①について、9月1日は何の日に指定されていますか。4文字で答えなさい。

問7　下線部②について、次の各問いに答えなさい。
　　（1）東日本大震災は、大陸プレートの（　Ⅰ　）プレートと海洋プレートの（　Ⅱ　）プレートの境目で起きた。
　　　　（Ⅰ）・（Ⅱ）にあてはまるプレート名を問2のア～エから選び、それぞれ記号で答えなさい。
　　（2）東日本大震災で多くの犠牲者が出た原因となった、震源が海底の場合に起こる現象を何といいますか。

問8　下線部③について、なぜ焼死者が多かったのですか。その理由を20字以上30字以内で答えなさい。

問9　下線部④について、なぜ日本人も殺されたのですか。その理由を答えなさい。

問10　下線部⑤について、復興事業について述べた次のⅠ・Ⅱの記述の正誤の組合せとして最も適切なものはどれ
　　ですか。あとのア～エから選び、記号で答えなさい。
　　Ⅰ　新しい幹線道路を建設したり、道路の幅を広げたりした。
　　Ⅱ　大きな公園を各地に設けたり、小学校の校舎の鉄筋コンクリート化を進めたりした。

　　　　ア　Ⅰ－正　Ⅱ－正　　　　イ　Ⅰ－正　Ⅱ－誤　　　　ウ　Ⅰ－誤　Ⅱ－正　　　　エ　Ⅰ－誤　Ⅱ－誤

問11　下線部⑥について、アジア・太平洋戦争末期の1944年12月に昭和東南海地震が、翌年1月には三河地震が
　　発生し、多くの犠牲者が出ました。しかし、政府はほとんど報道させませんでしたが、それはなぜですか。
　　その理由を20字以上30字以内で答えなさい。

問12　下線部⑦について、阪神・淡路大震災のとき、多くの人が被災地にかけつけて救援活動を行ったので、
　　1995年は「（　　　）元年」と呼ばれています。（　　　）にあてはまる語句を答えなさい。

予想問題　社会総合（5）
〔日本の水産業が危機に〕

次の文章を読んで、あとの問いに答えなさい。

　2023年8月、①根室漁港で②サンマの水揚げと初　　A　　があり、最高1kg約14万円という過去最高の値がつきました。サンマの全国の水揚げ量は2019年から4年連続で過去最低となっています。サンマ不漁の要因は、　　B　　の進行などで三陸沖に南下する　　C　　の流れが弱くなって、周辺の海域の水温が上昇し、サンマが東の沖合に移動したこととみられています。またサンマのえさとなる　　D　　が日本近海で減少していることや他の国による　　E　　の影響が指摘されています。農林水産省が発表した2022年の漁業・養殖業生産統計によると、サンマだけでなく、スルメイカ、タコ類なども過去最低を記録したとのことです。

　サンマの不漁に象徴されるように、養殖を含む日本の漁獲量は減少の一途をたどっています。2022年の漁獲量は、約386万tでした。これはピーク時（1984年の1282万t）の　　F　　分の1以下の量です。

　日本の漁獲量はかつては世界一でしたが、1973年の　　G　　による燃料代の高騰や、1976年ごろから各国が③200カイリの排他的経済水域（EEZ）を設定したことで、日本の　　H　　漁業は大きな打撃を受けました。　　I　　漁業の漁獲量は1970年代以降も増加していきましたが、　　E　　や水域環境の変化などによって90年代に入り、急激に減っていきました。

　世界中では、肉に代わるタンパク質として魚の消費が増え、世界一の漁獲量をほこる　　J　　やインドネシアを中心に漁獲生産量が増大しています。日本の漁獲量が減少しているなかで、期待されているのが④養殖業や栽培漁業の「育てる漁業」。漁獲量が落ち込んだ1990年代以降もほぼ同じ収穫量を保っていました。しかし、2011年の　　K　　と⑤原発事故により大きな被害を受け、　　K　　前の水準には回復していません。

　⑥日本の水産業は漁獲量の減少など⑦いろいろな問題をかかえ、危機的状況にあります。そのなかで、これからの日本の漁業（生産者）は、いっそうSDGsを意識して取り組むことが大切です。一方、消費者である私たちに求められていることはなんでしょうか。漁獲量の減少をおさえるためには、　　L　　な漁業が必要です。そのために私たちができることの一つは「MSC認証がつけられた水産物を買うこと」だといえます。　　L　　な漁業と気候変動対策をとることが私たちが魚を食べ続けるためにも必要なことではないでしょうか。

問1　　　A　　（平仮名2字）・　　B　　（漢字3〜5字）・　　C　　（漢字2〜4字）・　　D　　（カタカナ）・　　E　　（漢字2字）・　　F　　（実際の割合に最も近い数字）・　　G　　（漢字4字）・　　H　　（漢字2字）・　　I　　（漢字2字）・　　J　　（国名）・　　K　　（漢字6字）にあてはまる語句や数字を（　　）の指示にしたがってそれぞれ答えなさい。

問2　　　L　　と右の「海のエコラベル」の　　　　　には同じ語句があてはまります。　　　　　にあてはまる語句を漢字4字で答えなさい。

海のエコラベル
　　な漁業で獲られた
水産物
MSC認証
www.msc.org/jp

海のエコラベル

問3　下線部①について、根室漁港は北海道有数の漁港です。北海道一の水揚量の漁港と日本一の水揚量の漁港をそれぞれ答えなさい。

問4　下線部②について、サンマは、おもに右のような漁法でとっています。
右の漁法を何といいますか。次のア～エから選び、記号で答えなさい。

　　ア　はえなわ　　　　イ　底引きあみ
　　ウ　まきあみ　　　　エ　ぼううけあみ

問5　下線部③について、1カイリは約何mですか。

問6　下線部④について、養殖業と栽培漁業について、どのような漁業か、それぞれ簡単に説明しなさい。また、養殖や栽培されている魚介類の共通する特色を答えなさい。

問7　下線部⑤について、原発事故後、大量に出ている汚染水から放射性物質の大部分を取り除いた処理水が海洋に放出されはじめたため、漁業関係者の中には、「（　　　）被害」を心配する人がいます。（　　　）にあてはまる語句を漢字2字で答えなさい。

問8　下線部⑥について、次の問いに答えなさい。

(1)　次の道県でさかんに養殖されている魚介類・海そうを次のア～キから選び、それぞれ記号で答えなさい。

　　①　青森県、北海道、宮城県　　　　②　広島県、宮城県、岡山県
　　③　北海道、岩手県、宮城県　　　　④　佐賀県、兵庫県、福岡県

　　ア　わかめ類　　　イ　こんぶ類　　　　ウ　のり類　　　　エ　ほたてがい
　　オ　かき類　　　　カ　真珠　　　　　キ　うなぎ

(2)　日本の魚介類の自給率は、現在およそ何％ですか。次のア～エから選び、記号で答えなさい。

　　ア　35％　　　　イ　45％　　　　ウ　55％　　　　エ　65％

(3)　日本の水産業について述べた次のⅠ・Ⅱについて、その正誤の組合せとして正しいものをあとのア～エから選び、記号で答えなさい。

　　Ⅰ　日本が輸入している水産物のうち金額が大きいのは、さけ・ます、まぐろ、えびである。
　　Ⅱ　日本は国内の漁獲量の減少にともなって、海外からの水産物の輸入が増えている。

　　ア　Ⅰ：正　Ⅱ：正　　　　イ　Ⅰ：正　Ⅱ：誤
　　ウ　Ⅰ：誤　Ⅱ：正　　　　エ　Ⅰ：誤　Ⅱ：誤

問9　下線部⑦について述べた文として適切でないものを次のア～エから1つ選び、記号で答えなさい。

　　ア　漁業従事者が高齢化している。
　　イ　漁業の後継者が少なくなっている。
　　ウ　日本人の「魚離れ」が進んでいる。
　　エ　日本の漁獲量が激減し、水産物の輸出ができなくなった。

予想問題 社会総合（6）
〔人口問題〕

次の文章を読んで、あとの問いに答えなさい。

2022年、世界の人口が約　　A　　人をこえました。世界の人口は、人類の誕生以来長期にわたりゆるやかに増加し続けました。しかし、18世紀後半の　　B　　や第二次世界大戦後のアジア・①アフリカの植民地独立などをきっかけに、　　C　　と呼ばれるほど人口が急増しました。　　C　　は出生率が高く、死亡率が下がることで起きる現象です。今後もアフリカ諸国を中心に人口は増え、今世紀末には、世界の人口の半分がアフリカ人になるかもしれない、といわれています。

国別にみると、国連は2023年にインドが長年世界一の人口大国であった中国をぬいて世界一になると発表しました。②インド14億2860万人、中国（香港・マカオを除く）14億2570万人になるというのです。中国は1979年から30年以上にわたり、人口をおさえるため　　D　　政策をとってきました。この影響で急速に少子化が進行したのが要因とされています。一方、インドは、人口抑制政策が国民の強い反発もあって政府の思い通りにはなりませんでした。インド特有の人口増加の要因としては、国民の約80％を占める　　E　　の「子孫を増やすことが一族の繁栄をもたらす」という考えがあげられます。今後もインドの人口は増え続け、③インド経済は成長していくと予測されています。国内総生産（GDP）も、2020年時点で世界5位ですが、27年には日本とドイツをぬいて3位になるとみられています。

日本に目を転じると、日本の人口減少は歯止めがかからないようです。④総務省が、2023年1月1日現在の日本の人口を発表しました。それによると日本の外国人を含む総人口は、約1億2475万人で、前年の1月に比べ約56万人減少しました（日本人に限定すると約75万人の減少）。2010年をピークに13年連続で減少しています。唯一人口が増えていた沖縄県も減り、すべての都道府県で人口が減少しました。一方、⑤日本に住む外国人の人口は過去最多の約300万人で3年ぶりに増えました。

2022年現在の日本人の人口を年齢別の割合でみると、年少人口（0〜14歳）は約　　F　　、生産年齢人口（15〜64歳）は約59％、老年人口（65歳以上）は約　　G　　で、少子高齢化が進んでいます。特に地方は進行が加速して深刻になっています。⑥少子高齢化の進行は深刻な⑦労働力不足をまねくとともに、経済規模の縮小などをおこします。政府の「異次元の少子化対策」は、年3.5兆円というかつてない規模ですが、財源の議論が先送りとなっていて、今後の対応が注目されています。

問1　　　A　　にあてはまる数値を次のア〜エから選び、記号で答えなさい。
ア　70億　　　イ　80億　　　ウ　90億　　　エ　100億

問2　　　B　　（漢字4字）・　　C　　（漢字4字）・　　D　　（4文字）にあてはまる語句を（　　）の指示にしたがってそれぞれ答えなさい。

問3　　　E　　にあてはまる宗教を次のア〜エから選び、記号で答えなさい。
ア　仏教　　　イ　イスラム教　　　ウ　キリスト教　　　エ　ヒンドゥー教

問4　　 F 　・　 G 　にあてはまる数値を次のア〜エから選び、それぞれ記号で答えなさい。

　　　ア　8％　　　　　　イ　12％　　　　　　ウ　29％　　　　　　エ　32％

問5　下線部①について、それまで大半は西ヨーロッパ諸国の植民地であったアフリカ大陸で、17の独立国が誕生した「アフリカの年」は、西暦何年ですか。

問6　下線部②について、インドと中国の2か国で、世界の人口のおよそ何分の1になりますか。次のア〜エから選び、記号で答えなさい。

　　　ア　2分の1　　　　　イ　3分の1　　　　　ウ　4分の1　　　　　エ　5分の1

問7　下線部③について、インドはIT（情報技術）大国といわれ、今後も経済発展が期待されています。インド経済の強みとして適切でないものを次のア〜エから1つ選び、記号で答えなさい。

　　　ア　英語を使いこなせる人が多い。　　　　イ　インド国民の数学の能力が高い。
　　　ウ　人口が多く国内の需要がある。　　　　エ　女子の教育レベルが特に高い。

問8　下線部④について、総務省の仕事として適切でないものを次のア〜カから一つ選び、記号で答えなさい。

　　　ア　観光　　　　　　イ　選挙　　　　　ウ　消防・防災　　　　エ　情報・通信
　　　オ　ふるさと納税　　　　　　カ　マイナンバーカードの申請受付・交付

問9　下線部⑤について、国別の外国人住民の割合（2022年末現在）を示した、次のグラフの中の①〜③にあてはまる国の組み合わせとして正しいものをあとのア〜エから選び、記号で答えなさい。

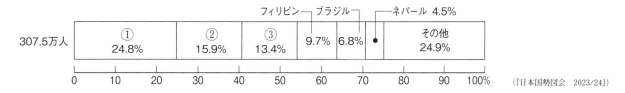

（『日本国勢図会　2023/24』）

　　　ア　①：韓国　②：中国　③：ベトナム　　　　イ　①：韓国　②：ベトナム　③：中国
　　　ウ　①：中国　②：韓国　③：ベトナム　　　　エ　①：中国　②：ベトナム　③：韓国

問10　下線部⑥について、少子高齢化の進行や世帯人数の減少などによって、大人の代わりに家事や介護といった家族の世話をする子どもが増えています。このような子どもを何といいますか。カタカナで答えなさい。

問11　下線部⑦について、次の各問いに答えなさい。

　　⑴　くらしを支える仕事と家庭生活を両立させる働き方を何といいますか。カタカナで答えなさい。

　　⑵　物流業界ではトラックの運転手が不足しています。さらに、2024年4月からトラック運転手の時間外労務の上限が年間960時間に制限されます。これによって生じる様々な問題を「2024年問題」といいます。どのような問題が考えられますか。次の①〜④のそれぞれの立場で1つずつ答えなさい。

　　　　①　トラック事業者　　　②　運転手　　　③　荷主　　　④　一般消費者

予想問題　社会総合（7）
〔物価高騰〕

次の文章を読んで、あとの問いに答えなさい。

　　食料品や電気・ガス代など、いろいろな①物やサービスがすさまじい勢いで値上がりしています。たとえば②「物価の優等生」といわれた③鶏卵（ニワトリの卵）は、1kgあたり120〜170円で推移してきました。しかし、2022年末から急激に値上がりし、東京では2023年5, 6月には過去最高の350円に達しました。④小麦や肉類、⑤乳製品も相次いで値上がりしています。食料品などの値上がりに歯止めがかからない中、追いうちをかけるように、2023年8月には⑥ガソリンの価格が15年ぶりの高値となる1L当たり180円を超えたのです。

　　2022年度の消費者物価指数（生鮮食料を除いた総合指数）は、前年度から3.0％上がり、第2次石油危機の影響が残る1981年以来41年ぶりの伸びとなりました。日本は20年以上物価が下がり続ける慢性的な　A　に苦しんできました。そのため物価を上げようとしてきましたが、なかなか上げることができませんでした。しかし最近の急激な物価上昇は、私たちの生活を苦しめています。物価の上昇に賃金の上昇が追いついていないのです。実質的な賃金がマイナスになっているため、きびしい生活をしいられています。物価の上昇は、いちがいに悪いとはいえません。物価が多少上がっても、それ以上に賃金が上がれば、消費者は物を買い、消費活動が活発になります。物がどんどん売れるようになれば、企業の利益も上がり、従業員の給料もよくなって、高くても物を買うことができるのです。物価が上がれば賃金も上がる、というのが普通だからです。

　　今回の物価上昇は、日本よりも先に物価高が進んだ欧米からの輸入品の価格が上がったことなどから始まったとされています。また、ロシアのウクライナ侵攻で小麦や⑦液化天然ガス（LNG）などの国際価格が大幅に上がったこと、　B　が急激に進んで輸入品の価格が一層上がったこと、コロナ禍で日本経済が落ち込んでいたことなども物価高の要因です。

　　急激な　B　は今後も進みそうです。そして、ウクライナ戦争もまだ終わりが見えません。歴史的な物価上昇を解決するにはどうすればよいのでしょうか。「慢性の　A　」と「急性の　C　」が同時進行している日本経済の立て直しは、一筋縄ではいかないとみられています。

問1　　A　〜　C　にあてはまる語句を次のア〜オから選び、それぞれ記号で答えなさい。
　　　　ア　円安　　イ　円高　　ウ　インフレ　　エ　デフレ　　オ　スタグフレーション

問2　下線部①について、物の価格は需要と供給の関係で決まるといわれています。右のグラフは、ある都市のほうれんそうの入荷量と価格の動きを示したものです。
　　　下の文中の（①）〜（⑤）にあてはまる語句をあとのア〜カから選び、それぞれ記号で答えなさい。

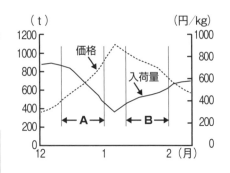

　　Aの期間では、（①）が（②）するにつれて価格が（③）なっているが、Bの期間では、（①）が（④）するにつれて価格が（⑤）なっている。

ア　需要　　　イ　供給　　　ウ　増加　　　エ　減少　　　オ　低く　　　カ　高く

問3　下線部②について、「物価の優等生」とはどのような意味ですか。

問4　下線部③について、次の問いに答えなさい。

(1)　2022年現在、採卵鶏の飼育羽数が多い道県の組み合わせとして正しいもの（2022年）を次のア～エから
選び、記号で答えなさい。

　　ア　北海道・鹿児島・宮崎・熊本・岩手　　　イ　北海道・栃木・熊本・岩手・群馬
　　ウ　鹿児島・宮崎・北海道・群馬・千葉　　　エ　茨城・千葉・鹿児島・広島・愛知

(2)　2021年の鶏卵の重量ベースの自給率は97％でかなり高いのですが、飼料のとうもろこしは100％輸入
のため、これを計算に入れたカロリーベースの鶏卵の自給率は13％に下落します（2021年）。日本のと
うもろこしの輸入先の組み合わせとして正しいもの（2022年）を次のア～エから選び、記号で答えなさ
い。

　　ア　アメリカ・ブラジル・アルゼンチン　　　イ　アメリカ・カナダ・オーストラリア
　　ウ　アメリカ・タイ・オーストラリア　　　　エ　アメリカ・ブラジル・カナダ

問5　下線部④について、次の問いに答えなさい。

(1)　小麦の輸入先の組み合わせとして正しいもの（2022年）を問4(2)のア～エから選び、記号で答えなさい。

(2)　2021年における小麦の自給率と日本の食料自給率（カロリーベース）の数値（2021年）を次のア～エから
選び、それぞれ記号で答えなさい。

　　ア　8％　　　　　イ　17％　　　　　ウ　38％　　　　　エ　57％

問6　下線部⑤について、乳牛を飼って、その乳から牛乳やバター・チーズなどの乳製品を生産する酪農をやめ
る人が増えています。その主な原因を問題文を参考にして、答えなさい。

問7　下線部⑥について、ガソリンの価格が上がると、どのような影響が生じますか。具体例を一つ答えなさい。

問8　下線部⑦について、液化天然ガスについて、次の問いに答えなさい。

(1)　液化天然ガスの輸入先の組み合わせとして正しいもの（2021年）を次のア～エから選び、記号で答えな
さい。

　　ア　オーストラリア・ブラジル・カナダ　　　イ　サウジアラビア・アラブ首長国連邦・クウェート
　　ウ　オーストラリア・インドネシア・ロシア　エ　オーストラリア・マレーシア・カタール

(2)　ある出来事がきっかけで、日本での液化天然ガスの需要が急増しました。ある出来事を次のア～エか
ら選び、記号で答えなさい。

　　ア　阪神・淡路大震災　　　イ　関東大震災　　　ウ　東日本大震災　　　エ　熊本地震

予想問題 社会総合（8）
〔国際政治〕

次の文章を読んで、あとの問いに答えなさい。

現在では、ヒト・モノ・お金・情報などが国をこえて、地球規模で経済活動が行われています。このような動きを「経済の　A　化」といいます。　A　化が進むと経済摩擦や食料、環境、安全保障など一国では解決できない問題が増えていきます。そのため、特定の地域でまとまって結束を強める動きが進んでいます。

ヨーロッパの多くの国は、①ヨーロッパ連合（EU）に加盟し、加盟国の多くで共通通貨の　B　を使用しています。このため、加盟国の全域はあたかも一つの国内市場のようになっています。今日では、経済に限定しないで共通の外交・安全保障対策をめざして、政治的にも一つの国のようにしようとEU大統領と外相にあたる地位が設けられています。

EU以外でも、②地域的な経済統合の動きは拡大しています。戦争や内戦などの問題をかかえていた東南アジアの安定をめざすため、1967年に③東南アジア諸国連合が結成され、政治や経済の分野で協力を進めています。2008年には、　C　の深刻化を受けて、世界経済に大きな影響力をもつ20カ国・地域首脳会合（G20）も開かれました。また、2016年には太平洋をかこむ国々が④環太平洋経済連携協定に署名し、⑤関税をなくす自由貿易のほか、知的財産保護やサービスの自由化など幅広い分野での経済連携協定が成立しました。

今年（2023年）は、広島でG7、⑥インドネシアの首都ジャカルタで東南アジア諸国連合首脳会議、⑦インドの首都ニューデリーで⑧G20、また、南アフリカ共和国の最大都市ヨハネスブルクでは、⑨BRICS首脳会議が開かれるなど、さまざまな国際会議が開かれました。上記の多くの国際会議で、直接的にも間接的にも話題となったのが、⑩ロシアのウクライナ侵攻といわれています。ウクライナ侵攻をきっかけに世界の政治や経済がどう変わるのか、そのような中で日本はどのような道を進んだらよいか、今後の世界の動向を注視する必要があります。

問1　　A　にあてはまる語句をカタカナで答えなさい。

問2　　B　にあてはまる、ドルに次ぐ力をもつとされる通貨の名前を答えなさい。

問3　　C　にあてはまる語句を次のア～エから選び、記号で答えなさい。
　ア　ドル・ショック　　　　　イ　オイル・ショック
　ウ　カルチャー・ショック　　エ　リーマン・ショック

問4　下線部①について、次の問いに答えなさい。
　(1)　EUの本部がある都市を次のア～エから選び、記号で答えなさい。
　　ア　パリ　　イ　ロンドン　　ウ　ブリュッセル　　エ　ハーグ
　(2)　2020年1月31日にEUを離脱した国を答えなさい。また、この国が抜けたことによる、2023年6月現在のEU加盟国は何カ国か答えなさい。

問5　下線部②について、次の問いに答えなさい。

(1)　右の図は、インド・太平洋地域の主な地域的な経済統合を示したものです。下線部③・④にあてはまるものを図中のア～エから選び、それぞれ記号で答えなさい。なお、図は2022年現在のものです。

(2)　図中の下線部の4カ国で構成されている外交・安全保障体制を何といいますか。次のア～エから選び、記号で答えなさい。

ア　WTO　　　　　イ　UNCTAD

ウ　QUAD　　　　エ　IAEA

インド太平洋地域の主な経済連携の図

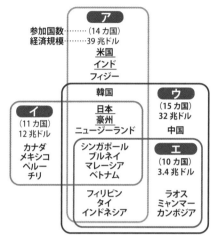

問6　下線部⑤について、関税は輸入品に対して課せられます。なぜですか。財政収入を得るため以外の理由を簡潔に答えなさい。

問7　下線部⑥について、インドネシアについて述べた文として適切でないものを次のア～エから1つ選び、記号で答えなさい。

ア　国民の約87％が仏教を信仰している。

イ　日本と同じように島や火山、地震が多い国である。

ウ　現在の首都はジャカルタであるが、新首都ヌサンタラの移転工事が進んでいる。

エ　グローバルサウスの主要国で、人口約2億8千万人(世界4位)の人口大国である。

問8　下線部⑦について、インドについて述べた文として適切でないものを次のア～エから1つ選び、記号で答えなさい。

ア　2023年、中国をぬいて世界一の人口大国となった。

イ　多民族国家で言語も多いが、国民の約80％はイスラム教徒である。

ウ　2023年、無人月探査機が月面着陸をおこない、世界で4番目の成功国となった。

エ　情報通信技術(ICT)産業と共に、ジェネリックとよばれる医薬品の輸出も盛んである。

問9　下線部⑧について、G20は世界のGDP (国内総生産) の約何％を占めていますか。次のア～エから選び、記号で答えなさい。

ア　20％　　　イ　40％　　　ウ　60％　　　エ　80％

問10　下線部⑨について、次の問いに答えなさい。

(1)　問題文にはBRICS5カ国のうち3カ国が明示されています。問題文に載っていない2カ国を答えなさい。

(2)　BRICSは組織の拡大をはかっており、2023年8月、6カ国の加盟を決めました。6カ国にあてはまる国を、次のア～エから2カ国選び、記号で答えなさい。

ア　サウジアラビア　　　イ　イラン　　　ウ　カナダ　　　エ　オーストラリア

問11　下線部⑩について、ロシアのウクライナ侵攻がきっかけとなって、1つの国がある軍事同盟に加盟しました。その国名を答えなさい。また、ある軍事同盟とは何をさしますか。略称で答えなさい。

予想問題　社会総合（9）
〔SDGs〕

次の文章を読んで、あとの問いに答えなさい。

　　現在、世界ではさまざまな問題が起こっています。地球の温暖化による異常気象、戦争・内乱・紛争、①食料問題、資源・エネルギー問題など。そのうえ、②新型コロナウイルスの世界的流行（パンデミック）は、人と人、国家間の経済格差を広げてしまいました。また、ロシアのウクライナ侵攻は、こうしたさまざまな問題に拍車をかけているといわれています。

　　　　A　　はこうした諸問題を解決して、よりよい世界をつくるために、2015年に「だれひとり取り残さない」というスローガンのもと、17の③「SDGs」を設定しました。世界中の国々が　　B　　年までに17の目標の実現に向けて努力していくことを約束したのです。

https://www.un.org/sustainabledevelopment/

1　「貧困をなくそう」
2　「飢餓をゼロに」
3　「すべての人に健康と福祉を」
4　「質の高い教育をみんなに」
5　「ジェンダー平等を実現しよう」
6　「安全な水とトイレを世界中に」
7　「エネルギーをみんなに　そしてクリーンに」
8　「働きがいも　経済成長も」
9　「産業と技術革新の基盤をつくろう」
10　「人や国の不平等をなくそう」
11　「住み続けられるまちづくりを」
12　「つくる責任　つかう責任」
13　「気候変動に具体的な対策を」
14　「海の豊かさを守ろう」
15　「陸の豊かさも守ろう」
16　「平和と公正をすべての人に」
17　「パートナーシップで目標を達成しよう」

問1　　　A　　にあてはまる機関を漢字4字で答えなさい。

問2　　　B　　にあてはまる年号を次のア〜エから選び、記号で答えなさい。
　　　ア　2025　　　イ　2030　　　ウ　2035　　　エ　2045

問3　下線部①について、世界で生産されている穀物の約36％は家畜の飼料として使われています。この家畜の代わりに「未来のタンパク質」として注目されている食材を次のア〜オからすべて選び、記号で答えなさい。
　　　ア　マグロ　　　イ　イナゴ　　　ウ　サケ・マス　　　エ　コオロギ　　　オ　コイ

問4 下線部②について、新型コロナウイルスの「緊急事態宣言」の終了を発表した国際的な専門機関の略称を次のア～エから選び、記号で答えなさい。
ア WTO　　イ WHO　　ウ NGO　　エ PKO

問5 下線部③を日本語9字で答えなさい。

問6 下線部③について、私たちが「SDGs」を実現するためにできることとして適切でないものを次のア～エから1つ選び、記号で答えなさい。すべて適切であればオと答えなさい。
ア マイバッグを使う。　　　イ フェアトレード商品を買う。
ウ スーパーに並べられた食品を買うとき、手前にあるものから取る。
エ 食器に残った油は、新聞紙にすわせてから捨てる。

問7 次の①・②の目標に最も関係の深い組織の略称を次のア～エから1つ選び、それぞれ記号で答えなさい。
① 4「質の高い教育をみんなに」
② 8「働きがいも　経済成長も」
ア UNICEF　　イ UNESCO　　ウ ILO　　エ ODA

問8 次の①～⑤に最も関係が深い目標（1～17）を問題文中の図から選び、番号で答えなさい。なお、同じ番号を何度使ってもよい。
① 地域のお祭りや活動に参加する。
② カーボンニュートラルに対する取り組みを行う。
③ 国際的にみて、日本は女性の国会議員の占める割合がたいへん少ない。
④ 栃木県の宇都宮市で新たに路面電車「ライトレール（LRT）」が開業した。
⑤ 近年は、男女ともに着られる制服を採用する学校が増えている。

問9 次の①・②の憲法の条文に最も関係が深い目標（1～17）を問題文中の図から選び、番号で答えなさい。
① 「すべて国民は、健康で文化的な最低限度の生活を営む権利を有する。」
② 「日本国民は、正義と秩序を基調とする国際平和を誠実に希求し、国権の発動たる戦争と、武力による威嚇又は武力の行使は、国際紛争を解決する手段としては、永久にこれを放棄する。」

予想問題　社会総合（10）
〔周年問題〕

2023年が節目となるおもな出来事をまとめた次の年表を見て、あとの問いに答えなさい。

西　暦	お　も　な　出　来　事
1543年	・ポルトガル人が日本の 　A　 に漂着し、①鉄砲を伝える
1573年	・②室町幕府が滅亡する
1583年	・ 　B　 跡に大阪城が築かれる
1603年	・③徳川家康が征夷大将軍となり、江戸幕府を開く
1623年	・徳川家光が将軍になる
1833年	・天保の飢饉が発生する
1853年	・④ペリーが来航する
1863年	・薩英戦争がおこる
1873年	・第一国立銀行が設立される
	・⑤徴兵令が出される
	・⑥地租改正が行われる
1923年	・関東大震災が発生する
1933年	・⑦日本が国際連盟を脱退する
1953年	・⑧朝鮮戦争が休戦となる
	・NHKがテレビ放送を開始する
1963年	・⑨米・英・ソが部分的核実験禁止条約に調印する
	・ケネディ大統領が暗殺される
1973年	・⑩第1次石油危機がおこる
1983年	・東京ディズニーランドが開園する
1993年	・日本の環境政策の根幹となる 　C　 が制定される
	・マーストリヒト条約に基づきEUが発足する
	・55年体制が終わる（細川内閣発足）
	・ 　　　D　　　 が日本で最初の世界遺産に登録される
2003年	・イラク戦争が始まる
	・個人情報保護法が成立する
2013年	・富士山が世界文化遺産に登録される

問1　 　A　 ～ 　C　 にあてはまる語句をそれぞれ答えなさい。

問2　 　D　 にあてはまるものを次のア～クからすべて選び、記号で答えなさい。

　　　ア　屋久島　　　　イ　小笠原諸島　　　ウ　知床　　　エ　白神山地　　　オ　石見銀山遺跡

　　　カ　法隆寺　　　キ　古都奈良の文化財　　　ク　姫路城

116

問3　下線部①について、鉄砲の産地として有名な所を次のア～エからすべて選び、記号で答えなさい。
　　　ア　堺　　　イ　京都　　　ウ　博多　　　エ　国友

問4　下線部②について、室町幕府を滅ぼした人物の氏名を漢字で答えなさい。

問5　下線部③について、徳川家康に関係する次のア～ウの出来事を年代の古い順に並べ替えて記号で答えなさい。
　　　ア　将軍職を徳川秀忠にゆずり、駿府に移る。　　　　イ　大阪夏の陣で豊臣氏を滅ぼす。
　　　ウ　関ヶ原の戦いに勝利する。

問6　下線部④について、ペリーの来航は事前にヨーロッパのある国から幕府に知らされていました。どこの国
　　　ですか。国名を答えなさい。

問7　下線部⑤について、徴兵に反対する農民一揆が各地でおこりました。反対した主な理由を20字以内で答え
　　　なさい。

問8　下線部⑥について、地租改正の目的を30字以内で答えなさい。

問9　下線部⑦について、日本が国際連盟を脱退したきっかけとなった事件はどれですか。次のア～エから選び、
　　　記号で答えなさい。
　　　ア　シベリア出兵　　　イ　日露戦争　　　ウ　日中戦争　　　エ　満州事変

問10　下線部⑧について、朝鮮戦争がきっかけとなって日本は景気がよくなりました。この好景気を何といいます
　　　か。また、なぜ好景気になったのですか。その理由を30字以上50字以内で答えなさい。

問11　下線部⑨について、部分的核実験禁止条約が成立するきっかけとなった出来事は何ですか。次のア～エから
　　　選び、記号で答えなさい。
　　　ア　キューバ危機　　　イ　ベトナム戦争　　　ウ　湾岸戦争　　　エ　イラン・イラク戦争

問12　下線部⑩について、第1次石油危機が発生するきっかけとなった戦争名を7字で答えなさい。また、石油危機
　　　で混乱した世界経済を立て直すため、フランス大統領の呼びかけで1975年から開かれるようになった国際会
　　　議を何といいますか。カタカナで答えなさい。

予想問題　理科総合（1）
〔異常気象・自然災害〕

異常気象・自然災害に関する次の文章を読んで、あとの問いに答えなさい。

2023年も災害に関するニュースの多い年となりました。

近年の日本で特に猛威をふるっている災害のひとつに、大雨による水害があります。2023年も、主なものだけでも6月には四国から東海にかけて、7月には九州から北陸にかけて、それぞれ幅広い地域で［　あ　］による豪雨が観測され、川の水が氾濫するなどして多くの被害が出ました。また、①台風による被害も多く発生しました。夏も［ A ］高気圧の活発な活動によって猛暑となり、部活動や体育の授業のあとで体調不良を訴える児童・生徒が続出するなどの②熱中症による被害が多数報道されました。

海外では、6月から8月には［ B ］や［ C ］で大規模な山火事が発生しました。［ B ］では南の海にハリケーンがあったことで強風にみまわれ、火災が一気に広がりました。［ C ］では乾燥した気候や高温によって火事が広がり、日本の国土の3分の1以上にあたる面積が焼失しました。

大きな地震も観測されました。

2月6日には、［ D ］・シリアで③マグニチュード7.8を記録する大地震が発生し、余震を含めると5万人以上が亡くなるなど大きな被害が発生しました。

日本国内で5月5日に［ E ］で発生した地震ではマグニチュード6.5を記録しました。この地震では、［　い　］階級3が観測されました。

ところで、④2023年は、1923年に発生した関東大震災から100年となる年でした。日本ではこの地震の発生した9月1日を「防災の日」と定め、地震をはじめとする災害についての理解を深め、⑤災害への備えを確認する機会としています。

災害対策としては、最新の技術や研究をもとにした予測の発展も重要です。2023年より［　あ　］の発生予測を最大30分前倒しして発表する運用がスタートしたほか、［　う　］という日本で最も高性能のスーパーコンピューターを用いて高い精度で［　あ　］を予測する実験も行われました。

問1　文章中の［A］～［E］にあてはまる言葉を次のア～ソの中から選び、それぞれ記号で答えなさい。

ア　津軽半島　　　イ　能登半島　　　ウ　伊豆半島　　　エ　紀伊半島　　　オ　薩摩半島

カ　インドネシア　キ　カナダ　　　　ク　トルコ　　　　ケ　トンガ　　　　コ　ハワイ

サ　ロシア　　　　シ　太平洋　　　　ス　東シナ海　　　セ　日本海　　　　ソ　オホーツク海

問2　［　あ　］には、近年の大雨被害の原因のうち多くを占める雨域を指す言葉が入ります。これが発生すると、同じ場所で次々と積乱雲が発生して通過または停滞することで大量の雨を降らせます。［　あ　］にあてはまる言葉を漢字で答えなさい。

問３　下線部①について説明した次の文章を読み、空欄［ a ］から［ d ］にあてはまる言葉を次のア〜クの中から選び、それぞれ記号で答えなさい。ただし同じ記号を何度使ってもかまいません。

> 台風とは、［ a ］低気圧のうち最大風速が毎秒［ b ］m以上にまで発達したもののことをいいます。
> ［ c ］回りに渦を巻いているため、台風の進行方向の［ d ］側のほうが風が強くなります。

ア　寒帯　　イ　温帯　　ウ　熱帯　　エ　13.5　　オ　17.2　　カ　21.6　　キ　左　　ク　右

問４　下線部②について、次の問いに答えなさい。

(1)　熱中症の危険性がきわめて高くなると予測された場合には、気象庁が警告を発表して注意を呼びかけます。この警告の名前を答えなさい。

(2)　(1)は、暑さ指数(WBGT)と呼ばれる数値が33以上となる場合に発信されることとなっています。屋外でのWBGTは以下の式で求められます。

WBGT = 乾球温度 × 0.1　+　黒球温度 × 0.2　+　湿球温度 × 0.7

ある日、屋外で温度や湿度を測ったところ、乾球温度は32℃、黒球温度は42℃でした。このとき、(1)が発表されるのは湿球温度が何℃以上のときですか。小数第１位を四捨五入して整数で答えなさい。

問５　下線部③について、マグニチュードの説明として正しいものを次のア〜ウから選び、記号で答えなさい。
ア　地震のゆれの大きさ　　　イ　地震そのものの大きさ　　　ウ　地震の被害の規模

問６　［ い ］には、気象庁の緊急地震速報の発表基準に2023年から新しく追加された、一般的なグラグラとしたゆれとは異なる、ゆっくりとした大きなゆれを表す言葉が入ります。高層ビル等を大きくゆっくりとゆらすこのゆれを何といいますか。漢字6文字で答えなさい。

問７　下線部④について、次の文章を読み、問いに答えなさい。

2023年は、日本の地震研究の基礎を築き、ノーベル賞候補にも名が挙げられた地震学者である大森房吉の死後100年となる年でもありました。大森房吉は、P波(最初に伝わってくる小さなゆれを伝える地震波)からS波(P波の後に伝わってくる大きなゆれを伝える地震波)までの時間の長さを用いて、地震波の観測地点から震源までの距離を求める公式を考え出したことで知られています。

(1)　P波の到達によって引き起こされる小さなゆれのことを何といいますか。

(2)　ある地点で地震を観測したとき、P波からS波までの時間の長さは12秒間でした。P波の速さは秒速７km、S波の速さは秒速４kmとするとき、この地点から震源までの距離を求めなさい。

問８　下線部⑤について、市町村などが市民のために、災害への備えの参考となる地図を発行しています。この地図には、災害により被害を受けやすい地域や範囲が、避難場所などの情報とともにまとめられています。この地図の名前を答えなさい。

問９　［ う ］にあてはまる言葉を答えなさい。

予想問題　理科総合（2）
〔天文・宇宙〕

天文・宇宙に関する出来事についてまとめた次の文章を読んで、あとの問いに答えなさい。

2023年は世界で宇宙開発に関するニュースが多くありました。

ただ、日本の最近の宇宙開発は順調に進んでいるばかりではありません。2022年10月に[A]ロケット6号機が打ち上げられましたが、ロケットに異常が発生して破壊されました。また、2023年3月に地球観測衛星「だいち3号」を搭載した[B]ロケット1号機が打ち上げられましたが、こちらも失敗に終わりました。7月には[A]の次世代型として開発中だったロケットのエンジンが、地上での燃焼試験の最中に爆発しました。

4月には日本の民間ベンチャー企業が開発した月面着陸機[C]が月面着陸に挑みましたが、月面に衝突し、成功とはなりませんでした。

一方、9月7日にH2Aロケット47号機が打ち上げに成功し、搭載している小型月着陸実証機SLIMによる月面着陸が2024年に行われる予定です。

①人類が初めて月に降り立ってから50年以上の歳月が経った今、世界の各国は改めて②宇宙飛行士を月に送り込んで有人探査を行おうとしています。米国が中心となり日本も参加する[D]計画は、月の上空の軌道にゲートウェイと呼ばれる宇宙ステーションを設置し、ここを拠点に有人での月面着陸を目指すプロジェクトです。ゲートウェイは将来的に③他の惑星の探査基地とすることも想定されています。

中国も2030年までに有人での月面着陸を実現する計画を発表するなど、各国の競争が始まっています。人間や探査機が直接行くことのできる④近距離の天体ばかりでなく、地球から非常に遠い宇宙空間を研究する技術も発展を続けています。アメリカは天体観測用の[E]宇宙望遠鏡を打ち上げて、地球の軌道上の宇宙空間から観測を続けてきました。2021年からは後継の[F]宇宙望遠鏡も加わりました。

一方で、地上から肉眼で観測できる天体ショーは、宇宙の不思議を私たちの身近なものにしてくれます。2023年4月20日、日本の太平洋側の一部地域で部分⑤日食が観測されました。また10月15日にはアメリカ大陸で金環日食が観測されました。

問1　文章中の[A]～[F]にあてはまる言葉を次のア～スの中からそれぞれ選び、記号で答えなさい。

ア　アルテミス　　イ　イプシロン　　ウ　オミクロン　　エ　ガリレオ　　　オ　クロノス
カ　ジェイムズ・ウェッブ　　　　キ　シグマ　　　　　ク　パーサヴィアランス　　ケ　ハッブル
コ　OROCHI-R　　サ　HAKUTO-R　　シ　H3　　　　ス　HTV

問2　下線部①について、当時アメリカが実施していた月への有人宇宙飛行計画を何といいますか。「（　　　）計画」という形で、（　　　）にあてはまる言葉をカタカナで答えなさい。

問3　下線部②に関連する次の文章を読み、文章中の［ a ］〜［ e ］にあてはまる言葉を答えなさい。

> 　2023年の日本人の宇宙飛行士の活躍としては、宇宙空間での滞在時間の合計が日本最長を記録している［ a ］さんが3月に生涯5度目のミッションを終えて国際宇宙ステーションから帰還した一方、8月には［ b ］さんが2度目の宇宙飛行に飛び立ちました。また前年までに締め切られた13年ぶりの公募を経て2名の新しい宇宙飛行士候補者がJAXA（宇宙航空研究開発機構）に採用されました。
>
> 　現在、人間を国際宇宙ステーションに運ぶことができる宇宙船は、ロシアの［ c ］、アメリカ・スペースX社の［ d ］の2種類です。現在、アメリカ・ボーイング社が［ e ］を開発中で、2024年には有人飛行試験が予定されています。

問4　下線部③について、アメリカをはじめとする各国が将来的な有人探査を計画している、この惑星の名前を答えなさい。

問5　下線部④に関連する次の文章を読み、文章中の［ a ］・［ b ］にあてはまる小惑星の名前を答えなさい。

> 　2023年は、世界で初めて地球の重力の圏外にある小惑星［ a ］から試料を持ち帰った、日本の探査機・初代はやぶさの打ち上げから20年となる節目の年です。後継のはやぶさ2が小惑星［ b ］から2020年に持ち帰った試料からはアミノ酸が見つかっていますが、このアミノ酸が生まれる化学反応が小惑星で起こっていた証拠を、2023年に日本の研究者が発見しました。

問6　下線部⑤について、次の問いに答えなさい。

(1) 日食が起こるとき、太陽・地球・月は一直線に並びます。どのような位置関係になりますか。次の図ア〜ウの中から選びなさい。

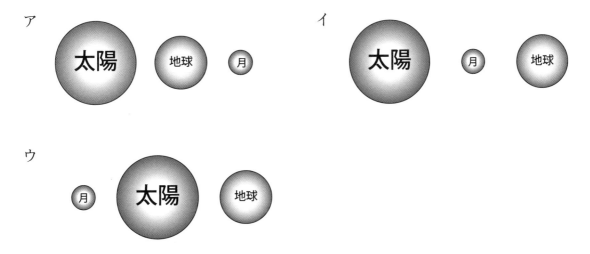

(2) 日食は、月が地球のまわりを1回公転するたびに毎回必ず起こるわけではありません。その理由を、「公転」という言葉を必ず使用して30字以内で説明しなさい。

予想問題　理科総合(3)
〔自然環境〕

自然環境についてまとめた次の文章を読んで、あとの問いに答えなさい。

世界共通の課題である持続可能な開発目標 (SDGs) で掲げられている①17の目標の中には、自然環境に関するものが多く含まれており、達成に向けた国際的な取り組みも進んでいます。

2022年12月に国連が開催した生物多様性に関する国際会議では、気候変動や開発などの影響で世界の生態系が破壊されているという危機感が共有されました。対策として、2030年までに達成すべき高い目標が定められ、参加する各国に具体的な行動を求める合意文書が採択されました。

そのひとつとして、現在②絶滅危惧種に指定されている種の絶滅を食い止めるとともに、全ての種の絶滅リスクを大幅に低減させるため、侵略的③外来種を50%減らすことが求められています。

廃棄物による土地や④水の汚染、⑤生態系の破壊についても問題として取り上げられ、食品廃棄物を半減させること、⑥プラスチックによる汚染を減らすことなどが明記されました。

また、生物の保護を進めるため、陸地や沿岸、海、湿地や河川などの少なくとも30%の環境を保全することも求められています。日本では、生物資源を保護すべき陸域や海域を、国立公園や鳥獣保護区に指定したり、特に湿地については[　　]条約の指定地域に登録したりする形で保全していますが、今後その割合をさらに高めていくことが求められます。

問1　下線部①のうち、自然環境に関連する目標として、14番「海の（　）を守ろう」、15番「陸の（　）も守ろう」があります。（　）の中に共通してあてはまる言葉を答えなさい。

問2　下線部②について、国際機関や各国の政府がまとめている、絶滅のおそれがある野生生物の一覧のことを何といいますか。カタカナで答えなさい。

問3　下線部③について、次の問いに答えなさい。

(1)　外来種が自然の中で増え続けるとどのような問題が発生しますか。「在来種」という言葉を使って20字程度で説明しなさい。

(2)　日本では外来種をいくつかの種類に分類して、駆除や海外からの持ち込み禁止などの対応を取っています。2023年6月1日より「条件付特定外来生物」という分類が新設されました。この分類に指定された生物は、現在飼育しているものを処分する必要はないものの、野外に放ったり有償で取引したりすることが規制されます。2023年6月時点で指定されている生物の名前を次のア～クから2つ選び、記号で答えなさい。

ア　オオクチバス(ブラックバス)　　イ　アメリカザリガニ　　ウ　カミツキガメ　　エ　アライグマ
オ　ヒアリ　　カ　ブルーギル　　キ　セアカゴケグモ　　ク　アカミミガメ(ミドリガメ)

問4　下線部④ではありませんが、海水に関係することとして、日本の福島第一原子力発電所では2011年の事故以来、放射性物質を含む水を地上に保管してきましたが、2023年8月より、処理装置により放射性物質を十分に浄化した上で、残った放射性物質が科学的に問題のない量になるように海水で薄め、海に放出しはじめました。この処理水に残る放射性物質のうち、水素の仲間である物質の名前をカタカナで答えなさい。

問5　下線部⑤について、次の問いに答えなさい。
(1)　生物の間の「食べる・食べられる」の関係性を何といいますか。
(2)　次の図1は(1)の関係を図にしたものです。A⇔B、B⇔Cにそれぞれ「食べる・食べられる」の関係性が成り立っており、それぞれ上に位置する生物が下に位置する生物を食べます。四角形の横幅は、その生物の数を表します。
　　　あるとき、何らかの理由によりCの数が大幅に減少したとします（図2）。A・Bの数は一時的にどうなると考えられますか。正しい説明を次のア〜エから選び記号で答えなさい。

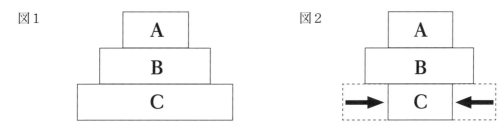

図1　　　　　　　　　　　　　　　　　　図2

ア　Bの数が増加し、つぎにAの数が増加する。　　イ　Bの数が減少し、つぎにAの数が減少する。
ウ　Bの数が増加し、つぎにAの数が減少する。　　エ　Bの数が減少し、つぎにAの数が増加する。

問6　下線部⑥について、川や海に流れ出たプラスチックごみは長い年月をかけて細かく砕かれ、海水と一緒に海洋生物の体に取り込まれ、最終的にそれらを漁でとって食べる人間の体にまで悪影響を与えると言われています。細かく砕かれたプラスチックを特に何といいますか。言葉で答えなさい。

問7　文章中の［　　　］にあてはまる言葉を次のア〜エの中から選び、記号で答えなさい。
　　ア　パリ　　　イ　モントリオール　　　ウ　ラムサール　　　エ　ワシントン

問8　COPに関する次の文章を読んで、あとの問いに答えなさい。
　　2015年にフランスで開催された国連気候変動枠組条約締約国会議COP21では、「世界の平均気温上昇を2030年までに産業革命以前に比べ、2℃より低く保ち、1.5℃に抑える」を目標とする通称［a］が採択され、世界の共通認識として掲げられました。この目標を達成するために、温室効果ガスの排出量と吸収量を均衡させ、温室効果ガスの排出量を全体として0にする［b］が目指されています。
　　2022年11月6日、［c］で約200もの国々が集まり、COP27が開催されました。気候変動や地球温暖化による被害を受けているアフリカ諸国での開催であることから「アフリカンCOP」とも呼ばれました。また、日本は今回で3回目となる［d］を受賞しました。
　　次回のCOP28は2023年11月30日から12月12日にかけてアラブ首長国連邦で開催される予定です。
(1)　［a］・［b］に入る言葉を答えなさい。
(2)　［c］に入る開催地となった国名を答えなさい。
(3)　［d］に入る言葉を、次のア〜エから選び、記号で答えなさい。
　　ア　ノーベル賞　　　イ　化石賞　　　ウ　フィールズ賞　　　エ　ブレイクスルー賞

予想問題　理科総合（4）
〔古代の生物・化石〕

古代の生物・化石についてまとめた次の文章を読んで、あとの問いに答えなさい。

　　46億年に及ぶ地球の歴史の中で、人類が経験した出来事について文字などを使って自ら記録しているのは、せいぜいここ数千年のことです。しかし、人類がこの世に生まれるはるか前から現在に至るまでの地球の歴史について、①地層や化石などのわずかな手がかりを頼りに科学的な分析を行うことで、太古の地球で何が起こっていたのかを知り、生き物がどのように進化してきたのかを辿ることができます。

　　2023年にペルーで発見された(a)クジラの化石はおよそ3900万年前に生息していたものとみられ、全長20メートル、体重は最大340トンと推定されています。体重については現在の生物の中で最も重いシロナガスクジラのおよそ2倍となります。

　　またニュージーランドでは、約6000万年前に生息していたとみられる巨大な(b)ペンギンの化石が発見されました。

　　中国では、ほ乳類の動物が(c)恐竜にかみついた瞬間の状態の化石が発見されました。およそ1億2500万年前の化石とみられ、②火山の噴火に突然巻き込まれたためこの状態になったとみられています。

　　実際に化石になっていなくとも、昔の姿に近い状態で現在まで種として生き残っている生物もいます。2022年には、伊豆・小笠原海溝の水深8,336m地点で③深海魚が泳ぐ姿が撮影され、2023年には、世界で最も深い場所で確認された魚としてギネスブックにも認定されました。

問1　下線部①について、地層や化石に関する次の問いに答えなさい。

　(1)　化石の種類によっては、その化石が発見された地層がどれくらい昔にできたものかを特定することができます。そのような化石を一般的に何といいますか。○○化石という形で、○○にあてはまる語を漢字2文字で答えなさい。

　(2)　地球の歴史の時代区分を地質年代と呼び、古生代、中生代、新生代など数億年単位で大きな区分がされています。2020年に、千葉県で発見された地層をもとにした研究から命名された、新生代のうちおよそ77万年前から13万年前までの期間のことを何といいますか。カタカナで答えなさい。

　(3)　地層に大きな力がかかると、地層が割れたりずれたりすることがあります。左右から「引く」力がかかって地層がずれた状態を何といいますか。次のア～エの中から1つ選び、記号で答えなさい。
　　ア　正断層　　　イ　逆断層　　　ウ　活断層　　　エ　横ずれ断層

問２ 下線部②について、火山に関する次の問いに答えなさい。

(1) 火山の内部で岩石が高温で溶けた状態になっているものを何といいますか。

(2) 火山のはたらきによってつくられる岩石を次のア〜カの中から３つ選び、記号で答えなさい。

ア 砂岩　　　イ 花こう岩　　　ウ 玄武岩　　　エ 石灰岩　　　オ でい岩

カ ぎょうかい岩

(3) 日本では一般的に、火山の噴火によって空高く舞い上がった火山灰は、火山の東側の地域に多く堆積します。その原因となる風は、2023年に中国から日本に大量の黄砂が飛来した原因でもあります。日本上空を常に吹いているこの強い風の名前を答えなさい。

(4) 日本において、2023年現在も毎月のように噴火が発生し、無人島を除く地域のなかで最も活発に活動している火山はどこですか。名前を答えなさい。

問３ 下線部③について、深海魚のうち、数千万年〜数億年にわたりほとんど変わらない姿を保っているとされ、「生きた化石」と呼ばれている魚の名前をカタカナで答えなさい。

問４ 下線(a)〜(c)について、次の問いに答えなさい。

(1) (a)〜(c)の生物学的な分類として正しいものを、右のア〜オの中から選び、記号で答えなさい。

	(a) クジラ	(b) ペンギン	(c) 恐竜
ア	魚類	鳥類	は虫類
イ	魚類	鳥類	両生類
ウ	ほ乳類	魚類	は虫類
エ	魚類	ほ乳類	両生類
オ	ほ乳類	鳥類	は虫類

(2) (a)について、クジラが海上で潮を吹くのは何のためですか。10文字以内で答えなさい。

(3) (a)〜(c)の生物に共通する特徴は、背骨をもっているという点です。背骨を持つ生物をまとめて何といいますか。「○○動物」という形で、○○にあてはまる言葉を答えなさい。

問５ 深海魚に関する次の文を読んで、あとの問いに答えなさい。

あるゲームの影響で注目されるようになった、銀白の体色で鮮やかな赤色のヒレをもつ写真の魚［　　　］は水深200〜1000ｍに棲む深海魚である。平均的には３ｍ程の体長であるが、大きいものでは11ｍにおよぶものもあり、硬骨魚類のなかでは世界最長とされている。目立つ姿をしているがその生態は謎なところが多い。

(1) ［　　　］に入る魚の名前を答えなさい。

(2) 深海魚の特徴として正しいものは、次のア〜エのうちどれか答えなさい。

ア 高圧環境にたえられる体は、低圧環境下に置かれると体はふくれ大きな負担となる。

イ 暗い環境において視界は不要であるため、退化したことがわかっている。

ウ 変温動物であり、体温調節を得意としている。

エ 深海は栄養が豊富であるため、捕食をすることがない。

マップ de ニュース

位置を確認しよう！

日本編

(例)佐渡島

［作業］ 次の①～⑪の説明にあてはまる都道府県、都市、島などの名前を答え、例にならっ
てその位置を白地図に書き入れなさい。（解答は 134 ページ）

（例）　トキの保護繁殖に取り組んでいる島です。この島の史跡である金山は、世界文化遺産登録を
目指しています。

---

①　2023年に日本で開催された主要国首脳会議（G7）は、この都市で行われました。

---

②　4世紀後半につくられた遺跡から、盾の形をした銅鏡と、蛇のように曲がりくねった2mを超
える剣など国宝級の遺物が出土した都道府県です。

---

③　「邪馬台国の時代の有力者の墓」であるといわれ、朱が塗られた石棺墓が発見された、弥生時代に
築かれた国内最大規模の集落跡の遺跡がある都道府県です。

---

④　国土地理院は、日本の島の数を、これまでの6852島から14125島と改めましたが、全国で一
番島の数が多い都道府県がここです。

---

⑤　2023年8月8日に発生した台風7号が最初に上陸し被害にあった都道府県です。

---

⑥　1923年、現在の防災の日や防災週間が制定されるきっかけになった大震災が起きたあと、後藤新
平が主導して復興計画を立てた都道府県です。

---

⑦　2023年5月5日、緊急地震速報では初めて長周期地震動を予測した震度6の地震があった石川
県にある大きな半島です。

---

⑧　2017年7月の九州北部豪雨によって被災したJR日田彦山線添田駅～夜明・日田駅間が、BRTで結
ばれましたが、その路線のある都道府県です。

---

⑨　日本のJAXA（宇宙研究開発機構）の大型ロケットの発射場がある島が属する都道府県です。

---

⑩　縄文時代の主な遺跡である三内丸山遺跡のある都道府県です。

---

⑪　日本の最北端の島で、本州、北海道、九州、四国に次いで大きな面積を有する島です。

マップ de ニュース 位置を確認しよう！
世界編

(例) フランス

[作業] 次の①～⑭の説明にあてはまる国名、地域名を
答え、例にならってその位置を白地図に書き入
れなさい。(解答は 135 ページ)

(例)　2022年4月に行われた選挙で再選されたマクロン氏が大統領を務める国です。

---

①　2023年に日本で開催された主要国首脳会議 (G7) に初めて招待されたこのヨーロッパの国は、世界でも
有数の小麦の生産国です。

---

②　G7広島サミットにも出席したこの国は、世界で最も人口の多い国です。

---

③　冷戦下で、世界で初めて人工衛星の打ち上げに成功した国です。

---

④　2023年7月、TPP (環太平洋経済連携協定) に新たに加盟したヨーロッパの国です。

---

⑤　2023 年 4 月、ＮＡＴＯ (北大西洋条約機構) に31か国目として新たに加盟が認められた国です。

---

⑥　2023年2月6日に起きた大きな地震があった国で、明治時代に日本で起きたエルトゥールル号遭難事件
をきっかけにして親日国になったといわれる国です。

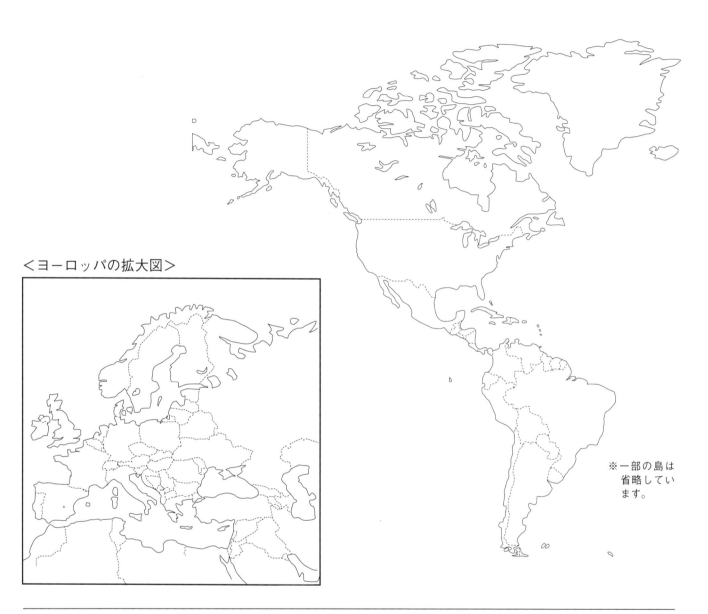

＜ヨーロッパの拡大図＞

※一部の島は
省略してい
ます。

⑦　G7の加盟国で、2023年6月にケベック州で大きな山火事が発生した国です。

⑧　2023年8月に開催された世界陸上競技選手権大会の開催地であるブダペストがある国です。日本の北口
　　榛花選手が女子やり投げで金メダルに輝きました。

⑨　黄砂の被害が日本でも深刻ですが、黄砂の発生地の大部分を占めるのがこの国です。

⑩　永世中立国で、EUにもNATOにも加盟していないヨーロッパの国です。

⑪　G7広島サミットでは、G7以外にグローバルサウスとよばれる新興国・途上国の首脳も招待されました。そのな
　　かの一つが、この南アメリカの新興国です。

⑫　G7広島サミットに招待されたグローバルサウスの国のひとつで、東南アジアにあり、日本へのエビの輸
　　出がインドに次いで多い国です。

■キーワードチェック①
国内政治・経済 （P82～P83）

①岸田文雄　②安倍晋三

③省庁名：デジタル庁、大臣名：河野太郎

④新型コロナウイルス感染症（COVID-19）

⑤2（類相当から）5（類）

⑥民主主義の学校

⑦統一地方選挙

⑧細川護熙

⑨異次元の少子化政策　⑩こども家庭庁

⑪文化庁

⑫マイナンバー制度

⑬2024年秋

⑭LGBT理解増進法（LGBT法）

⑮20（歳から）18（歳）　⑯植田和男

⑰貿易収支　⑱円安

⑲バブル経済　⑳復興庁

㉑ふるさと納税

■キーワードチェック②
社会・生活・環境 （P84～P85）

①（およそ）14000（島）

②無形文化遺産

③世界の記憶　④白山手取川ジオパーク

⑤富雄丸山古墳　⑥吉野ヶ里遺跡

⑦マイクロプラスチック

⑧SDGs

⑨カーボンニュートラル（ネットゼロ）

⑩EV　⑪GX

⑫高浜原子力発電所1号機　⑬1.26

⑭食品ロス（フードロス）　⑮38%

⑯ドローン　⑰ヘイトスピーチ

⑱バリアフリー　⑲AI

⑳生成AI

㉑一万円札：渋沢栄一、五千円札：津田梅子、
　千円札：北里柴三郎

■キーワードチェック③
国際・外交 （P86～P87）

①（ウラジーミル・）プーチン

②国：ウクライナ、
　大統領：（ウォロディミル・）ゼレンスキー

③（ジョー・）バイデン　④尹錫悦（ユン・ソギョル）

⑤習近平　⑥香港（ホンコン）

⑦台湾　⑧一帯一路

⑨NATO　⑩TPP

⑪チャールズ（国王）（チャールズ3世）

⑫通称：G7サミット、都市名：広島市

⑬ニューヨーク

⑭（アントニオ・）グテーレス（グテレス）

⑮非常任理事国　⑯核兵器禁止条約

⑰国際原子力機関（IAEA）　⑱スーダン

⑲難民　⑳クロアチア

㉑パリ協定

■キーワードチェック④
理科総合 （P88～P89）

①リュウグウ

②国際宇宙ステーション（ISS）

③クルードラゴン

④古川聡

⑤若田光一

⑥チャンドラヤーン3号

⑦部分日食　⑧黄砂

⑨エルニーニョ現象　⑩猛暑日

⑪熱中症　⑫暑さ指数（WBGT）

⑬熱中症警戒アラート

⑭特別警報

⑮線状降水帯

⑯長周期地震動

⑰関東大震災

⑱南海トラフ

⑲条件付特定外来生物

⑳伊豆・小笠原海溝

■社会・理科総合（1）
自然災害 （P98〜P99）

問1　A：イ　E：ウ　H：キ　I：サ

問2　（アントニオ・）グテーレス（グテレス）

問3　イ　　　　問4　エ

問5　F：キ　G：オ　J：イ

問6　(1)　温暖化が進むと、多くの森林がより乾燥するから。
　　　(2)　・森林火災によって温暖化の原因となる二酸化炭素が増えるから。
　　　　　・森林火災によって二酸化炭素を吸収する植物が減るから。

問7　エ

問8　日光を反射する海氷が少なくなるから。
　　　（日光を反射する海氷が少なくなると、海は熱を吸収しやすくなるから。）

問9　フェーン

問10　国土交通省

問11　ヒートアイランド

問12　エ

問13　線状降水帯

■社会総合（2）
G7広島サミット （P100〜P101）

問1　イ、ウ、オ、カ、キ、ク

問2　EU（ヨーロッパ連合、欧州連合）

問3　イタリア

問4　エ

問5　グローバルサウス

問6　ア、ウ、オ

問7　戦争名：第4次中東戦争　国名：イスラエル

問8　（ウォロディミル・）ゼレンスキー

問9　⑨（バラク・）オバマ

問10　(1)　1945年8月6日
　　　(2)　核兵器を持たず、作らず、持ち込ませず
　　　(3)　a　核兵器禁止　　b　核の傘

■社会総合（3）
島国日本 （P102〜P103）

問1　A：ア　B：ク　E：カ

問2　C：択捉島　　　F：黒潮（日本海流）
　　　G：サンゴ礁　　H：干潟

問3　（ア）、（イ）、（ウ）

問4　ア・イ・ウ

問5　(1)　測量技術が進歩したから。ウ
　　　(2)　①　沖縄島・ウ　　②　種子島・エ
　　　　　③　淡路島・イ

問6　南端：東京都　　　東端：東京都

問7　①　若狭湾　　②　陸奥湾　　③　紀伊半島
　　　④　能登半島

問8　Ⅰ：ウ　　　Ⅱ：カ

問9　A：津波の被害を受けやすい。
　　　B：陸上交通の便が悪い。

問10　川の上流にダムや堰がつくられたため、川が運んでくる土砂が少なくなっているから。

■社会総合（4）
関東大震災 （P104〜P105）

問1　相模湾　　　問2　B：イ　　　C：エ

問3　2011年3月11日　　　問4　差別

問5　イ　　　問6　防災の日

問7　(1)　Ⅰ：エ　　Ⅱ：ア　　(2)　津波（溺死）

問8　発生時刻に食事の支度で使われた火で火災が起きたため。

問9　朝鮮人や中国人とまちがえられたから。

問10　ア

問11　被害状況を知って国民の戦意が低下することを政府が恐れたから。
　　　（軍需工場の被害などの情報が連合国側にもれないようにするため。）

問12　ボランティア

■社会総合（5）
日本の水産業が危機に （P106〜P107）

問1　A：せり　B：温暖化（地球温暖化）
　　　C：親潮（千島海流）　D：プランクトン

E：乱獲　F：3

G：石油危機　H：遠洋　I：沖合

J：中国（中華人民共和国）　K：東日本大震災

問2　持続可能

問3　北海道：釧路（港）　日本：銚子（港）

問4　エ

問5　約1800 m（1852 m）

問6　養殖業：魚や貝などをいけすの中で大きくなるまで人工的に育てて出荷する漁業。

栽培漁業：卵を人工的にかえし、稚魚まで育ててから海や川に放流して、自然の中で大きくなってからとる漁業。

共通する特色：販売価格が高い。

問7　風評

問8　(1)　①エ　②オ　③イ　④ウ

　　　(2)　ウ　　(3)　イ

問9　エ

■社会総合（6）人口問題（P108〜P109）

問1　イ

問2　B：産業革命　C：人口爆発　D：一人っ子

問3　エ

問4　F：イ　G：ウ

問5　1960年

問6　イ

問7　エ

問8　ア

問9　エ

問10　ヤングケアラー

問11　(1)　ワークライフバランス

　　　(2)　①トラック事業者

　　　　・運送、物流業者の利益が減少する。

　　　　・長距離輸送などができなくなる。

　　　　②運転手

　　　　・収入が減る。

　　　　③荷主

　　　　・必要なときに必要な物が届かないおそれがある。

・輸送が断られる可能性がある。

・輸送コストが高くなる。

④一般消費者

・当日や翌日配達などの宅配サービスが受けられなくなる可能性がある。

・新鮮な野菜や果物、魚などが手に入らなくなる可能性がある。

■社会総合（7）物価高騰（P110〜P111）

問1　A：エ　B：ア　C：ウ

問2　①イ　②エ　③カ　④ウ　⑤オ

問3　小売業者が商品を売るときの価格が、何年間もほとんど変わらない商品のこと。

問4　(1)　エ　　(2)　ア

問5　(1)　イ

　　　(2)　小麦の自給率：イ／日本の食料自給率：ウ

問6　・輸入飼料の価格が上がったから。

　　　・慢性的なデフレの影響で牛乳の価格を上げるのが難しいから。

問7　＜解答例＞輸送費が上がり、モノやサービスの値段が上がるおそれがある。

問8　(1)　エ　　(2)　ウ

■社会総合（8）国際政治（P112〜P113）

問1　グローバル

問2　ユーロ

問3　エ

問4　(1)　ウ

　　　(2)　国：イギリス　加盟国数：27カ国

問5　(1)　③：エ　④：イ　(2)　ウ

問6　国内の産業を保護するため。

問7　ア

問8　イ

問9　エ

問10　(1)　中国（中華人民共和国）、ブラジル

　　　(2)　ア、イ

問11　国：フィンランド　軍事同盟：ＮＡＴＯ

■社会総合（9）
SDGs （P114〜P115）

問1　国際連合

問2　イ　　　　　　問3　イ、エ

問4　イ

問5　持続可能な開発目標　　　問6　オ

問7　①：イ（ア）　　②：ウ

問8　①：11　　②：13（7）　　③：5
　　　④：7（11・13）　　⑤：5

問9　①：3（1・2）　　②：16

■社会総合（10）
周年問題 （P116〜P117）

問1　A：種子島　B：石山本願寺　C：環境基本法

問2　ア・エ・カ・ク　　　問3　ア・エ

問4　織田信長

問5　ウ → ア → イ　　　問6　オランダ

問7　農家の働き手がうばわれてしまうため。

問8　税収を安定させることで国家の財政を確立する
　　　ため。

問9　エ

問10　好景気：特需景気

　　　理由：アメリカが戦争に必要な物資を日本に大
　　　量に注文したことで、日本国内の工業生産が増
　　　えたから。

問11　ア

問12　戦争：第4次中東戦争　　国際会議：サミット

■理科総合（1）
異常気象・自然災害 （P118〜P119）

問1　A：シ　B：コ　C：キ　D：ク　E：イ

問2　線状降水帯

問3　a：ウ　b：オ　c：キ　d：ク

問4　(1) 熱中症警戒アラート　　(2) 31（℃）

問5　イ　　　問6　長周期地震動

問7　(1) 初期微動　　(2) 112km

問8　ハザードマップ

問9　富岳

■理科総合（2）
天文・宇宙 （P120〜P121）

問1　A：イ　　B：シ　　C：サ
　　　D：ア　　E：ケ　　F：カ

問2　アポロ（計画）

問3　a：若田光一　b：古川聡　c：ソユーズ
　　　d：クルードラゴン　e：スターライナー

問4　火星

問5　a：イトカワ　　b：リュウグウ

問6　(1) イ
　　　(2) 月の公転面が地球の公転面に対して傾いて
　　　いるから。

■理科総合（3）
自然環境 （P122〜P123）

問1　豊かさ

問2　レッドリスト（レッドデータブック）

問3　(1) 在来種のえさが奪われ、在来種の数が減る。
　　　（在来種が外来種に食べられ、数が減る。／在
　　　来種と外来種が交配し雑種ができる。）
　　　(2) イ、ク

問4　トリチウム

問5　(1) 食物連鎖　(2) イ

問6　マイクロプラスチック

問7　ウ

問8　(1) a：パリ協定　b：カーボンニュートラル
　　　(2) エジプト　(3) イ

■理科総合（4）
古代の生物・化石 （P124〜P125）

問1　(1) 示準（化石）　(2) チバニアン　(3) ア

問2　(1) マグマ　(2) イ、ウ、カ　(3) 偏西風
　　　(4) 桜島

問3　シーラカンス

問4　(1) オ
　　　(2) 呼吸するため。／吸った息を吐くため。
　　　(3) せきつい（動物）

問5　(1) リュウグウノツカイ　　(2) ア

■日本編

①広島市　　　　②奈良県　　　　③佐賀県　　　　④長崎県

⑤和歌山県　　　⑥東京都　　　　⑦能登半島　　　⑧福岡県・大分県

⑨鹿児島県　　　⑩青森県　　　　⑪択捉島

■世界編

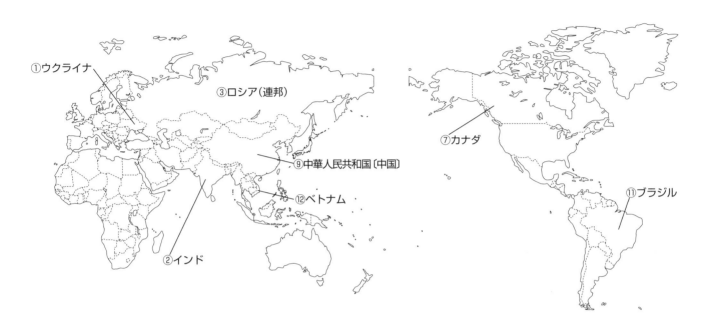

《ヨーロッパの拡大図》

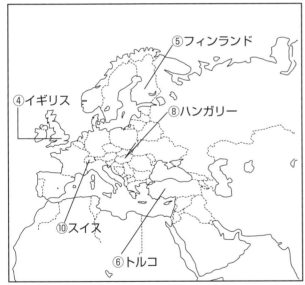

①ウクライナ	②インド	③ロシア（連邦）	④イギリス
⑤フィンランド	⑥トルコ	⑦カナダ	⑧ハンガリー
⑨中華人民共和国〔中国〕	⑩スイス	⑪ブラジル	⑫ベトナム

※関連したニュース記事が掲載されているページを、重要語句の後ろに表記しています。

ア

【アルテミス計画】（▶P56〜61）

アメリカ航空宇宙局NASAが進める月探査プログラムの総称。この計画の第一段階として、2022年11月に大型ロケットと宇宙船「オリオン」で地球と月の間を往復する無人の試験飛行が行われた。2024年の第二段階で有人飛行を、2025年以降の第三段階で有人の月面着陸を行う予定。その後2028年に、月周回の宇宙ステーションとなるゲートウェイ計画などを通じて月面基地を建設、さらなる宇宙探査の拠点にすることをめざすもの。この計画は2020年10月、参加するアメリカ、日本、カナダ、イタリア、ルクセンブルク、アラブ首長国連邦、イギリス、オーストラリアの8か国が「すべての活動は平和目的のために行われる」ことをはじめとしたアルテミス合意にサインし、進められている。

【イギリスTPP加盟】（▶P44〜45）

イギリスは2020年12月、EU（欧州連合）を完全離脱した。それをきっかけに、EU以外の国と経済関係を強化するため、2021年2月にTPP（環太平洋経済連携協定）への加盟を申請。その後11か国との交渉を進め、2023年3月に加盟が合意され、7月に協定文書に署名、正式に加盟が承認された。2018年のTPP発足後初の新規加盟国となる。

【一帯一路】

中国の習近平国家主席が2013年に打ち出した巨大な経済圏構想。かつて中国とヨーロッパを結んだシルクロードを模して、アジアとヨーロッパを陸上で結ぶ「シルクロード経済ベルト」（一帯）と、中国沿岸部から東南アジア、南アジア、アラビア半島、アフリカ東部を経てヨーロッパを航路でつなぐ「21世紀海上シルクロード」（一路）で構成される。この構想は米中貿易摩擦の要因のひとつにもなっているが、参加する途上国の経済発展につながれば、格差の是正が期待できるという一面も持つ。

【インドネシア】

インドネシア政府は現在ジャワ島のジャカルタにおかれている首都を、1300km離れたカリマンタン島（ボルネオ島）東部に移転させ、新首都名を「ヌサンタラ」とすることを2022年1月18日、国会で可決した。人口過密や大気汚染が主な理由とされる。ジャカルタはジャワ島の湿地帯に築かれた都市であるため、地下水の過剰採取による急速な地盤沈下や、それに伴う地震のリスクも懸念されてきた。移転先のカリマンタン島はオランウータンの生息地や豊富な鉱物資源があることで知られる地域。首都移転が豊かな熱帯雨林の伐採や環境の破壊を招くことは必至で、先住民族の団体が反対を表明するなど、実現には課題も多く、時間を要すると見られている。

【ウクライナ】（▶P14〜15、22〜25、38〜39、54〜55）

旧ソ連構成国のひとつであったが、1991年のソ連崩壊とともに独立。首都はキーウ（キエフ）。面積は日本の約1.6倍で、世界第6位（2021年）の小麦生産国でもある。国内の2割がロシア語系住人で、特に東部はロシアと密接な関係にある。一方西側はかつてのオーストリア・ハンガリー帝国の一部で、宗教的にも文化的にもロシアからの独立志向が強いなど、複雑な歴史的背景を持つ。2000年代に入ると周辺国のNATO加盟の動きからEU寄りになるが、これを阻止しようとするロシアとの関係が悪化。2014年3月に南部のクリミア自治共和国がロシアに編入され、これを機に西寄りへ軸を固めた。2019年にはEUとNATO加盟をめざすゼレンスキー政権が誕生。2022年2月のロシアによる軍事侵攻に対し、即日「国民総動員令」（18〜60歳の男性の出国を禁止）を発令するなど徹底抗戦に出た。以降もウクライナは国を挙げてロシアに対抗、2023年6月には奪われた領土の奪還をめざし、大規模な反転攻勢を開始している。

【SDGs】（▶P40〜41）

2015年に国連サミットで採択された、世界が2030年までに達成をめざす「持続可能な開発目標」のこと。「誰一人取り残さない」を理念に、17のゴールと169のターゲット（達成基準）から構成されている。17のゴールは、貧困や飢餓、不平等や格差、気候変動など、世界が直面する課題を網羅的に示しており、これらを総合的に解決しながら、社会・経済・環境の3つの側面のバランスが取れたよりよい社会の実現を目標としている。

【欧州連合（EU）】（▶P54〜55）

1993年に発足した、ヨーロッパの国々が経済や安全保障などでの協力を進めている国家連合体。本部はベルギーのブリュッセル。2012年にはノーベル平和賞を受賞している。2023年8月現在の加盟国は27か国。2013年にクロアチアが28番目の加盟国として加わったが、2020年に

イギリスが脱退している。統一通貨のユーロは1999年に導入された。2023年1月にはクロアチアが新たに導入し、9月現在、デンマーク、スウェーデンなどを除く20か国で使用されている。

カ

【改正民法】

民法の一部を改正する法律（成年年齢関係）が、2018年6月に成立。2022年4月から、成年年齢が20歳から18歳に定められた。保護者の同意がなくても携帯電話を契約したり、クレジットカードを作ったりすることも可能に。成年年齢に先立ち、国民投票法、公職選挙法が改正され、それぞれ投票権年齢、選挙権年齢が18歳以上に引き下げられている。

【核兵器禁止条約】

核兵器の開発や保有、使用、あるいは核使用の威嚇（いかく）などを禁止する国際条約。2017年7月に国連総会で採択（出席124か国中122か国が賛成）され、2021年1月に発効した。条約を正式に認める手続きとなる批准（ひじゅん）をした国・地域は2023年9月19日現在69。アメリカや中国、ロシアなどの核保有国に加え、アメリカの「核の傘」のもとにある日本などは参加していない。2022年6月、第1回締約国会議（ていやく）がオーストリアのウィーンで開催され、条約参加国でないドイツなどもオブザーバーとして出席。一方、唯一の戦争被爆国である日本は、「条約には核保有国が1か国も参加していない」ことを理由に出席を見送った。第2回締約国会議は2023年11月に、アメリカ・ニューヨーク州の国連本部で開催の予定。

【活断層】（▶P18〜21）（かつだんそう）

断層（地層に力が加わって割れ、その割れた面に沿って両側の地層がずれたもの）のうち、特に数十万年前以降に繰り返し活動し、将来も活動すると考えられる断層のこと。第四紀（260万年前以降）に活動した証拠のある断層すべてを活断層と呼ぶこともある。日本では2000か所以上の活断層が発見されており、大きいものは長さ100kmに及ぶ。

【環太平洋経済連携協定（TPP）】（▶P44〜45）（れんけい）

太平洋を囲む多国間で、輸入関税の撤廃を中心に人やサービスの移動も含む包括的（ほうかつ）な自由化をめざす協定。2005年に4か国で締結したあと、アメリカや日本などが加わり、2013年に12か国となった。交渉は2015年に大筋合意し、2016年には協定文書に署名したが、翌2017年にアメリカが離脱表明。2018年に残る11か国で協定を結び直し（TPP11）、2023年7月までにすべての原署名国（メ

キシコ、日本、シンガポール、ニュージーランド、カナダ、オーストラリア、ベトナム、ペルー、マレーシア、チリ、ブルネイ）で発効した。なお、2023年7月にはイギリスのTPPへの加入が正式に決まり、TPPは12か国体制に。

【きぼう】（▶P56〜61）

国際宇宙ステーション（ISS）に設置されている日本初の有人実験棟（とう）。2009年に完成。船内実験室と船外実験プラットフォームなど6つの要素からできている。

【緊急地震速報】（▶P18〜21）（きんきゅうじしん）

気象庁が、企業や役所、一般家庭などに、テレビ・ラジオ・携帯電話などを通じて可能な限りすばやく知らせる地震発生情報。各所に設置された地震計が最大震度5弱以上を予測すると自動的に速報が流れる。揺れ始める前に備える（ゆ）ことで被害を減らすことがねらいである。震源から距離（きょり）があれば数秒か、それ以上前に速報が出るが、震源に近い地域（ちいき）では間に合わないという限界がある。

【クラスター爆弾】

一つの容器に、数個から数百個の小さな爆弾が入った爆弾のこと。戦闘機等から投下・発射されると容器が分解して、多数の小型爆弾がばらまかれるしくみ。影響する範囲が広く、無差別に民間人の犠牲者を出すおそれがあることから非人道性が指摘されている。アメリカは2023年7月、ロシアの侵攻を受けるウクライナに新たな軍事支援として、クラスター爆弾を供与した。なお、2008年にクラスター爆弾の製造や保有、使用を禁止するオスロ条約（クラスター爆弾禁止条約）が成立、2010年に発効された。日本は加盟しているが、アメリカやロシア、ウクライナは参加していない。

【グローバルサウス】（▶P22〜25）

アフリカやアジア、中央アメリカ、南アメリカなどの南半球を中心とする途上国・新興国の総称。主に北半球の先進国（グローバルノース）と対比して使用される。ロシアによるウクライナ侵攻や米中対立をめぐり、西側諸国とロシア・中国の分断が深まる中、そのどちらにもくみしない新たな勢力として存在感を高めている。

【経済連携協定（EPA）】（▶P44〜45）

国・地域間で関税をなくし、モノやサービスのより自由な貿易を進める国際協定を自由貿易協定（FTA）という。FTAの内容に、人の移動や投資、知的財産の保護（ばばひろ）など、幅広い分野での経済関係の強化を加えた協定がEPA。2023年9月現在、日本との間でEPA・FTAが発効した国・地域は20、署名済みは1。

【合計特殊出生率】(▶P28〜31)

一人の女性が平均で一生の間に何人の子どもを産むかを表す指標。人口維持には2.07が必要とされている。日本では、2022年度は前年比0.04ポイント減の1.26で、2005年と並んで過去最低。また、7年連続低下となった。都道府県別では沖縄県が1.70と最も高く、最低は東京都の1.04だった。

【国際宇宙ステーション (ISS)】(▶P56〜61)

地球から約400kmの宇宙空間にある有人の実験施設。地球や天体の観測、宇宙での実験や研究を行う。日本、アメリカ、ロシア、ヨーロッパ各国など世界15か国が参加している。

【国際連合 (国連) (UN)】

世界平和と国際問題の解決に向けて活動する国際機構で、193か国が加盟 (2023年8月現在)。中心的な役割を担うのは安全保障理事会 (安保理) で、常任理事国5か国と、非常任理事国10か国からなる。2022年6月、安保理の非常任理事国の改選投票が行われ、日本は加盟国最多となる12回目の当選を果たした (任期は2023年から2年間)。事務総長は2017年1月から元ポルトガル首相のアントニオ・グテーレス氏が務めている。国連の監督下には、ロシアやイラクなどの核をめぐる問題を扱う国際原子力機関 (IAEA) をはじめ、多くの専門・関連機関がある。

【国内総生産 (GDP)】(▶P44〜45)

国の経済力を示す指標のひとつ。国内で1年間に生産されたモノやサービスの総額。世界でGDPが最大の国はアメリカで、中国、日本がこれに続く (2022年)。

【国連難民高等弁務官事務所 (UNHCR)】

戦争などで、迫害を受けたり、経済的困窮に陥ったりした難民の保護と支援を行うために、1950年に設立された国連の機関。本部はスイスのジュネーブ。1954年と1981年にノーベル平和賞を受賞。2022年末時点のUNHCRの支援対象者は約1億1260万人と、過去最高だった前年をさらに更新した。

【こども家庭庁】(▶P28〜31)

2023年4月に内閣府の外局として発足した、子ども政策を総合的に担う行政機関。少子化対策や子育て支援に対応するとともに、子どもにとっての一番の利益を考え、子どもと家庭の福祉や健康の向上を支援し、子どもの権利を守ることを目的とする。全体を取りまとめる「企画立案・総合調整部門」、親の出産支援、子どもの居場所づくりを行う「成育部門」、虐待や貧困、ひとり親家庭支援などに対応する「支援部門」の3部門から構成される。

サ

【再生可能エネルギー】(▶P32〜33)

石油や天然ガスなどの限りある資源と異なり、自然界で起こる現象から生み出され、何度利用しても再生が可能なエネルギーのこと。風力、太陽光、地熱、中小規模水力、波力などがある。二酸化炭素をほとんど出さない一方で、発電利用には、導入費用が高い、天候などに左右されやすく発電量が不安定であるといった問題もある。

【G7サミット】(▶P22〜25)

主要7か国の首脳による国際会議。日本、アメリカ、イギリス、フランス、ドイツ、イタリア、カナダの首脳とEU (欧州連合) の代表者が参加し、年1回開催される。1998年にはロシアが加わってG8になったが、ウクライナ南部に軍事介入したため参加停止となり、2014年以降再びG7に戻った。2023年は5月に広島市で開かれ、ロシアによるウクライナ侵攻や核軍縮・不拡散、地球温暖化やエネルギー問題などが議論された。2024年は、6月にイタリア南部のプーリア州で開催の予定。

【少子化】(▶P28〜31)

出生率が低下して子どもの数が少なくなること。2023年4月1日現在、日本の総人口に占める子ども (15歳未満) の割合は11.5%と、49年連続の低下で過去最低になった。今後も低下が続き、2030年には10.3%、2035年には10.0%となる見込み。このように人口のバランスが崩れると、経済が停滞し税収が減少する一方、年金や医療など社会保障関係費は増大するという問題が起こる。政府は、働き方の見直しや地域の子育て支援など少子化を食い止める対策を進めている。2023年1月に「異次元の少子化対策」を掲げ、6月にはこれの具体的中身「こども未来戦略方針」を決定。今後3年間で取り組む具体的な政策 (児童手当の拡充、出産費用の保険適用の導入など) を「加速化プラン」としてまとめた。

【食品ロス (フードロス)】(▶P10〜11)

まだ食べられるのに捨てられてしまう食べ物のこと。売れ残りや食べ残し、期限切れなど要因は多様だが、日本では年間約523万トン (2021年度推計) が廃棄されている。こうした食品ロスを減らそうと、食品ロス削減推進法が2019年5月に成立、10月に施行された。

【食料自給率】(▶P38〜39)

国全体で消費する食料がどの程度自国の生産でまかなえているかを示す割合。2022年度の日本の食料自給率(カロリーベース)は前年度と同じ38%だった。カナダ、アメリカ、フランスなど主な先進国と比べると、日本の食料自給率はきわめて低い。

【新型コロナウイルス】(▶P34〜35)

コロナとはギリシャ語で「王冠」の意味。ウイルスの形が王冠に似ていることから名付けられたと言われている。くしゃみやせきなどのしぶきからうつる飛沫感染と、ウイルスがついているものを触った手で鼻や口を触ってしまうことでうつる接触感染がある。感染すると、発熱やせき、息苦しさ、味覚障害などの症状が出るが、無症状も多い。新型コロナウイルスが原因となった感染症は、2019年12月に中国の武漢市で発生し、中国全土に拡大。その後短期間で全世界に広がり、各地で独自の変異を繰り返した。その結果、世界中からさまざまな変異株が報告されている。

【世界遺産】

ユネスコ(UNESCO:国連教育科学文化機関)の世界遺産条約に基づき、世界的に重要な遺産として「世界遺産リスト」に登録されたもの。自然、文化、複合の3分野がある。2023年現在、日本からの登録は25件(文化遺産20件、自然遺産5件)。直近では2021年に、「北海道・北東北の縄文遺跡群」(青森県など1道3県)が文化遺産に、「奄美大島、徳之島、沖縄島北部及び西表島」(鹿児島県・沖縄県)が自然遺産に登録された。

【世界ジオパーク】

国際的に価値のある地層や地形、火山などをもつ自然公園。貴重な地質学的遺産の保全・保護や、自然と人間との共生を目的に、ユネスコ(UNESCO:国連教育科学文化機関)が認定する。地質版世界遺産ともいわれる。日本からは、2023年には「白山手取川ジオパーク」(石川県)が認定された。このほかに、洞爺湖有珠山(北海道)、糸魚川(新潟県)、島原半島(長崎県)など、日本の世界ジオパークは計10か所。

【世界の記憶】

ユネスコ(UNESCO:国連教育科学文化機関)が行う遺産事業のひとつ。文書や絵画、映画などの貴重な歴史的記録遺産を後世に伝えるために登録・保存する。日本国内では、「御堂関白記」「慶長遣欧使節関係資料」「上野三碑」のほか、2023年に「智証大師円珍関係文書典籍－日本・中国の文化交流史－」が登録された。これで日本からの登録は8件となった。

【線状降水帯】(▶P62〜63)

連続して発生した積乱雲が幅20〜50km程度、長さ50〜300km程度にわたって一列に連なった、強い降水をともなう雨域のこと。ひとつの積乱雲は60分程度で消える。ひとつだけなら雨量に限りがあるが、同じ場所で次々と新たな積乱雲が発生するため、長い時間強い雨が降り続き、とてつもない雨量となる。2018年の西日本豪雨や「令和2年7月豪雨」などでは、多くの線状降水帯が発生し、大規模な被害をもたらした。2023年もすでに沖縄県や高知、熊本県など多くの県で発生している。なお、2021年に始まった「顕著な大雨に関する気象情報」はこれまで、線状降水帯発生後に発表されていたが、2023年5月25日より、線状降水帯の発生が予測された時間の最大30分前に発表されることになった。

タ

【チャットGPT】(▶P46〜47)

質問を書き込むと、それに応じた文章で答えてくれる対話型AI(人工知能)。深層学習により膨大なデータを学習し、知識を蓄えているため、人間が書いたような自然な文章を生成することができる。しかし、答えの情報そのものが正しいのかわからない、データにないことには答えられないなどのデメリットも。

【長周期地震動】(▶P18〜21)

大地震の発生で生じる、周期(揺れが1往復するのにかかる時間)が長いゆっくりとした大きな揺れのこと。高層ビルを長時間にわたり大きく揺らす、震源から遠く離れた場所まで伝わりやすい性質がある。2023年2月から、気象庁が発表する緊急地震速報(警報)の発表基準に追加された。

【デジタル庁】

2021年に発足した、デジタル化を推進する司令塔の役割を担う首相直轄の組織。各省庁や地方自治体、行政機関で使うシステムを統一し、スムーズにデータをやり取りすることで、住民サービスの向上と行政手続きの効率化・迅速化を図ることを目的とする。そのため、マイナンバーカードの普及・利活用の促進、紙の文書による面倒な手続きの見直し、電子データの使用推進などを掲げている。なお、マイナンバーカードについては普及が進む一方、マイナ保険証に別人の情報が登録されるなどさまざまなトラブルが発覚している。

【統一地方選挙】(▶P26〜27)

4年に1度、全国で期日を統一して行う、地方公共団体の首長と議会議員の選挙。1947年4月、地方自治の制度が変わるのに合わせて一斉に実施されたのが始まり。

首長や議会議員の任期は4年のため、それ以降は任期が途切れた場合を除き、ほぼ4年ごとに選挙が行われてきている。2023年は4月9日に道府県知事・道府県議、政令指定都市の市長・市議、23日には市長と市議、特別区と町村の首長・議会議員の選挙が行われた。

【特定外来生物】(▶P12〜13)

海外から日本に持ち込まれた外来生物の中で、特に生態系や人の体、農林水産物に悪影響を与えたり、与えるおそれがある生物のこと。この指定を受けると、輸入や飼育、野外放出などが禁止される。環境省が定める特定外来生物は、2023年9月現在、アライグマやカミツキガメなど159種類。6月には、アカミミガメとアメリカザリガニが新たに、ペットとして飼育し続けることはできる通称「条件付き特定外来生物」に指定されている。

【富雄丸山古墳】(▶P50〜51)

奈良県奈良市にある、4世紀後半に造られたとされる古墳。直径109mで、円墳としては日本最大。2018年から発掘調査が進められ、2022年10月に「造り出し」と言われる埋葬施設が見つかり、翌11月には内部から「銅鏡」と「蛇行剣」が出土した。銅鏡はこれまでに比類のない盾形で長さ64cm・幅31cmと日本最大を誇り、蛇行剣は国内最古で長さ237cmの曲がりくねった刃が特徴。いずれも国宝級の発見とされている。

ナ

【南海トラフ】(▶P18〜21)

静岡県の駿河湾から九州東方沖にかけて太平洋の海底に広がる水深4000m級の深い溝(トラフ)を指す。非常に活発で大規模な地震発生帯として知られている。この場所を震源とした東海地震、東南海地震、南海地震の3つが同時に起きると想定されている最大規模の地震を、南海トラフ巨大地震という。

【熱中症警戒アラート】

熱中症とは、高温や多湿の環境で、体内の水分や塩分のバランスが崩れ、体温が上昇するなどして起こる障がいのこと。めまいや失神、疲労感、吐き気などの症状が出て、重症になると死に至る場合もある。外出するときは帽子をかぶる、こまめに水分と塩分をとり、休憩するなどの予防が必要。気象庁と環境省は、暑さ指数(WBGT：気温・湿度・日差し・風などを取り入れた指標)が33以上と予測される地域に「熱中症警戒アラート」を発信し、熱中症への注意を呼びかけている。「熱中症警戒アラート」は2020年度に関東甲信地方で先行実施し、2021年から全国運用が始まった。期間は4月第

4水曜から10月第4水曜まで。

ハ

【はやぶさ2】(▶P58〜61)

小惑星探査機「はやぶさ」の後継機。小惑星「Ryugu(リュウグウ)」を探査し、サンプルを採取して持ち帰ることを目的に、2014年に種子島宇宙センター(鹿児島県)から打ち上げられた。「はやぶさ2」は2018年にリュウグウに到着、2019年に2度の着陸によってサンプル(表面物質や、人工的にクレーターを作り地下から採取した岩や砂)を回収し、2020年12月にはサンプルを収めたカプセルを地球に届けることに成功。サンプルの分析は翌2021年から始まり、これまでに、生命起源の解明につながる可能性のあるアミノ酸23種類や、塩や有機物を含む炭酸水が検出され、また、約2万種の有機物質が確認されている。

【パリ協定】(▶P16〜17)

2020年以降の地球温暖化対策の枠組みを定めた国際ルール。2015年にフランスのパリで行われた「国連気候変動枠組条約第21回締約国会議(COP21)」で採択され、翌2016年に発効した。協定では、気温上昇を産業革命前に比べて「2度未満」抑える(+1.5度に抑える努力をする)ために、温室効果ガスの排出を今世紀後半までに「実質ゼロ」にすることを目標として打ち出している。参加国は197か国・地域。アメリカが2020年11月にトランプ政権で離脱(正式)したが、翌年2月にはバイデン政権で復帰した。

【プラスチックごみ】

狭義では、プラスチック製の、使い捨てられたレジ袋やペットボトル、ストロー、食品トレーなどをいう。プラスチックごみは海に流れて海を汚染し、海の生態系にも深刻な影響を与えていると考えられている。そのため世界各国でプラスチックごみを削減する取り組みが始まっており、たとえばEUでは、2019年7月に10種類の使い捨てプラスチック製品の流通を2021年7月から禁止する「プラスチック指令」が発効した。日本ではプラスチック製レジ袋を原則有料化するため、2019年12月に容器包装リサイクル法の省令を改正(2020年7月施行)。さらに、2021年6月には使い捨てのスプーンなどプラスチック製品の削減やリサイクルを促す「プラスチック資源循環促進法」が成立、2022年4月より施行された。

【文化庁】

東京一極集中を是正し、地方を創生するための取り組みを目的に政府が進める省庁移転の第1号として、2023

年３月に京都に移転し業務を開始、５月には大半の職員が移動し本格稼働した。中央省庁の地方移転は明治維新以来初めて。

【米中貿易摩擦】

アメリカと中国の二国間で生じている貿易をめぐる摩擦全般のこと。自国産業の保護と貿易赤字の削減をめざすトランプ米大統領が、2018年、中国からの輸入品に追加関税を発動。これを受けて中国も米国製品に報復関税を課したことで、米中貿易摩擦が本格化する。以降、互いに関税引き上げ措置を繰り返してきたが、2020年１月に米中通商協議の「第一段階の合意」に署名した。これで２年近くに及ぶ貿易摩擦はひとまず緩和に向かうが、この第一合意は2021年12月末には期限を迎えた。この間トランプ政権からバイデン政権に移行したが、対中政策は引き継がれ、米中貿易摩擦長期化している。

【貿易赤字】

財務省が2023年４月に発表した2022年度の貿易統計（速報、通関ベース）によると、輸出額から輸入額を差し引いた貿易収支はマイナス21兆7285億円となった。赤字幅は前年度比3.9倍で、1979年以降で最大となる。日本の主要貿易国であるアメリカ、中国への輸出額はいずれも過去最高だったものの、ロシアによるウクライナ侵攻を背景とする原油や石炭などの資源価格の高騰に歴史的円高が重なり、輸入額が大きく膨らんだことが主な原因とみられる。資源価格の上昇は価格上昇は、輸入する食料品や化学製品、一般機械類などにも影響し、輸入金額を増大させ、赤字の原因ともなっている。

【香港（ホンコン）】

中国広東省の南岸に隣接し、香港島・九竜・新界およびその周辺の島々からなる特別行政区。長らくイギリスの植民地だったが、1997年に中国に返還された。そのときの約束で、以後50年間については、特別行政区として、中国とは違う独自の法律が適用される「一国二制度」が認められた。しかし、ここ数年、香港での反体制的言動を取り締まる「香港国家安全維持法」の施行（2020年）をはじめ、香港の政治から民主派勢力を実質的に排除する「選挙制度改変案」が可決（2021年）されるなど、中国が掲げる「法治」で一国二制度が揺らぎ、香港の中国化が進んでいる。

マ

【マイナンバー法等の一部改正法】

改正マイナンバー法などの関連法が2023年６月に成立。改正法の柱は、2024年秋に現行の健康保険証を廃止し、マイナンバーカードと保険証を一体にする「マイナ保険証」の利用を促すこと。ほかに、年金受給者らを対象に、預貯金口座をマイナンバーとひもづける仕組みの導入や、マイナンバーカードの利用拡大などが盛り込まれている。マイナンバーとは日本に住むすべての人に割り当てられた12桁の番号で、その番号が顔写真や住所、氏名などとともに記されているのがマイナンバーカード。

【無形文化遺産】

ユネスコ（UNESCO：国連教育科学文化機関）の無形文化遺産保護条約に基づき登録される、世界的に価値のある芸能、口承伝統、伝統工芸などの形のない文化遺産。日本国内では、2022年に「風流踊（ふりゅう）」（日本各地で長く伝承されてきた盆踊りや念仏踊りなどで構成）が登録された。これで日本の登録は22件となった。このほかに「能楽」「人形浄瑠璃文楽」「歌舞伎」などがある。

【猛暑日（もうしょび）】

１日の最高気温が35℃以上になる日のこと。2007年に気象庁が天気予報などで使用する新しい語句として、それまでの夏日（最高気温25℃以上）、真夏日（最高気温30℃以上）、熱帯夜（夜間最低気温25℃以上）などに加えた。

ヤ

【吉野ヶ里遺跡】（▶P52〜53）

佐賀県神埼市と吉野ヶ里町にまたがる、弥生時代の大規模な環濠集落跡で国の特別史跡。これまでの調査で、弥生時代全時期の多数の住居跡、日本最古で最大の墳丘墓やかめ棺墓群などが発掘され、それまでの弥生時代についての考え方を改める遺跡として注目を集めた。2022年には10年ぶりの発掘調査が始まり、翌2023年４月、弥生時代後期の有力者の墓の可能性がある石棺墓が発見されている。

ラ

【ラニーニャ現象】

太平洋赤道域の日付変更線付近から南米沿岸にかけて海面水温が例年より低くなる現象。逆に高くなる現象を「エルニーニョ現象」という。遠い日本の気候とも相関性があり、ラニーニャ現象の場合、夏は暑く、冬は寒い傾向があり、エルニーニョのときには、夏〜秋が冷涼（れいりょう）で暖冬になりやすい。

【ラムサール条約】

正式名称（めいしょう）は「特に水鳥の生息地（せいそくち）として国際的に重要な湿地に関する条約」。1971年に世界の湿地を守るため、イランのラムサールで採択（さいたく）された。日本の登録湿地は、

2021年に「出水ツルの越冬地」(鹿児島県) が新たに加わって53カ所となった (2023年9月現在)。

【レッドリスト】

絶滅のおそれのある野生生物のリストで、危険度に応じてランク分けされている。レッドリストをもとに生息状況などを詳細にまとめたものをレッドデータブックという。最初のレッドデータブックはIUCN (国際自然保護連合) が作成。その後、各国の政府や自治体でも独自に作られるようになった。日本の絶滅危惧種では、アオウミガメ、ヤンバルクイナ、コウノトリ、ニホンウナギなどが有名。

【ロシア軍事攻撃】(▶P14〜15、22〜25、38〜39、54〜55)

2022年2月24日の早朝、ロシアのプーチン大統領がウクライナの首都キーウ (キエフ) に「特別軍事作戦」と称して砲撃をしたのが侵攻の始まり。旧ソ連構成国で、古くは「キエフ公国=キエフ・ルーシ」という同じルーツを持つ兄弟国家ウクライナがEU寄りの政策に転じ、西側諸国で構成されるNATO加盟をめざすのが原因とされる。近年、東欧諸国やバルト3国が加盟した"NATOの東方拡大"はロシアにとって脅威であり、侵攻は「正当防衛」だと主張。攻撃は軍事施設から民間施設への無差別な攻撃へと移り、さらに原発へも砲撃。核物質による汚染の不安が世界に広がった。ウクライナ侵攻から1年半、2023年8月現在も戦闘は収まる気配はなく、両軍の死傷者が50万人近くにのぼるなど、犠牲が拡大し続けている。

ワ

【ワシントン条約】

正式には「絶滅のおそれのある野生動植物の種の国際取引に関する条約」。国際取引を規制することで、野生動植物の過度の採取や捕獲を抑え、絶滅のおそれから守ることを目的とする。締約国は183か国およびEU (2023年9月現在)。

注意したいカタカナ時事用語

新型コロナウイルス関連

【新型コロナ変異ウイルス】(▶P34〜35)

ウイルスは自力では増殖できず、人間や動物など他の生物の細胞の中に侵入し、自分の複製を作らせて増えていく。このとき、ウイルスの遺伝子が大量にコピーを繰り返すうちに、遺伝情報を受け持つRNAの配列に小さなミスが起こる。このコピーミス、つまり遺伝情報の変化を「変異」と呼ぶ。コロナウイルスは変異が出現するたびに名称が変わり、同系のものには数字がつくものもある。コロナウイルスは、ギリシャ数字のアルファ、ベータ、ガンマ、デルタと出現し、さらに、2021年11月にオミクロン株がWHOから確認された。そして、オミクロン株は、BA.2、BA.4、BA.5に系統が枝分かれして変異し、ほかの変異株から置き換わった。さらに2023年に入り、オミクロンBA.2から派生したXBB系統が発生し、3月ごろから世界中に流行が始まった。日本の現在の主流はXBB1.16とXBB1.15。変異によって致死率は低くなる反面、感染力は強くなる傾向がある。

【クラスター】

主に意味は「集合体。かたまり」。新型コロナウイルス関連の話題では、小規模な「集団感染」や、それによってできた「感染者の集団」を指す。規模的には感染経路が追えている数人から数十人程度。特定の場所・グループ内におけるクラスター発生を「クラスター化」、クラスターまたは1人の感染者が、別の場所で感染を広げ、新たなクラスターを生み出すことを「クラスター感染」と呼んでいる。

【ソーシャルディスタンス】

日本語では、「社会的距離」という訳語をあてている。新型コロナウイルスの感染経路の一つである飛沫感染は、くしゃみや咳のしぶきによるもの。このくしゃみや咳によるしぶきが到達する距離が、くしゃみで3m、咳で2mといわれている。厚生労働省では、保つべき距離として、相手と2m程度(最低でも1m)取ることを推奨。

【パンデミック】

同じ感染症が短期間に、世界的に大流行すること。「感染爆発」などともいい、国境を超えて感染が広がり、コントロール不能になった状態を指す。WHO (世界保健機関) は2020年3月、新型コロナウイルスについて「パンデミックとみなせる」と表明した。パンデミックの表現を使うのは2009年の新型インフルエンザ以来。語源はギリシャ語で、パンは「すべて」、デミアは「人々」を意味する。

【ロックダウン】

新型コロナウイルスをめぐっては、「都市封鎖」の意味で使われている。政府の専門家会議の提言では、「一定期間都市を封鎖したり、強制的な外出禁止や、生活必需品以外の店舗閉鎖などを行う措置」と記述。

【ワクチン】(▶P34〜35)

　感染症に対する免疫（抵抗力）をつけるため、体内に入れる病原体（ウイルスや細菌）のこと。免疫ができることで、その感染症にかかりにくくなったり、かかっても症状が軽くすんだりする。ワクチンには感染力を弱めたり、なくしたりした病原体そのものや、病原体を構成するたんぱく質などをもとにつくったものがある。これまでに、新型コロナワクチンとして日本で接種しているのは、3種類。mRNAワクチンとウイルスベクターワクチンの2つは、ウイルスを構成するタンパク質の遺伝子情報を投与することで免疫をつけるという新しいワクチン。もう一つの組換えタンパクワクチンは、病原体を構成するタンパク質を接種することで予防できるというもの。他の病気に対するワクチンとして使用実績がある。

政治・経済

【インバウンド】

　広い意味では「外から中に入る」ことを表す言葉。主に観光・旅行分野で使われ、外国人が日本を訪問する旅行を指す。限定した使い方として、日本を訪れる外国人観光客を指す。

【サイバーテロ】

　コンピュータシステムに侵入し、重大な情報やデータを破壊したり盗んだりすること。特に、政府機関やインフラ事業者などを標的とした国民生活に甚大な被害を与える悪質なものを指す。

【フェアトレード】(▶P10〜11)

　開発途上国の原料や製品を、対等な条件下の正当な値段で、継続的に取り引きすること。立場の弱い生産者の生活改善と自立支援が目的。「公正な貿易」と訳される。

【ヘイトスピーチ】

　特定の人種や民族などへの主観的・一方的な憎しみにもとづき、暴力や差別をあおったり、おとしめたりする言動のこと。「差別的憎悪表現」ともいう。

生活・環境

【エコドライブ】

　急発進・急ブレーキ、無駄なアイドリングをやめるなどして燃料の節約に努め、自動車から排出される大気汚染物質の量を減らす、環境に配慮した運転・心がけのこと。

【テレワーク】(▶P34〜35)

　「tele（遠く離れた）」と「work（働く）」を合わせた造語で、政府が推進する働き方改革のひとつ。ICT（情報通信技術）を使い、自宅や外出先など勤め先以外の場所で働くこと。時間や場所にしばられず柔軟に働くことができるため、育児や介護による離職の緩和、通勤ラッシュの緩和につながると期待されている。リモートワークともいう。

【パワーハラスメント（パワハラ）】

　職場などで、立場の強い人が弱い人に対して、精神的、身体的苦痛を与えること。「ハラスメント」は「嫌がらせ、いじめ」の意味。

【ビッグデータ】

　通常のコンピュータでは処理できないほどの、種類が豊富で、頻繁に更新される大量のデータ群。

【ファクトチェック】

　社会に発信された情報や言説が、正確かどうかを調べ、信用度を評価すること。ジャーナリズム手法のひとつで、「真偽検証」とも呼ばれる。

【フードドライブ】

　家庭で使われずに余っている食品を学校、地域などに持ち寄り、それらをまとめて福祉団体や子ども食堂などに寄付する活動。

【フードバンク】

　品質に問題はないのに包装のミスなどを理由に廃棄されてしまう食品を企業などから寄付してもらい、それを必要とする福祉施設などに無料で提供する団体・活動のこと。

【ユニバーサルデザイン】

　性別や年齢、障がいの有無にかかわらず、だれにとっても使いやすいものや、動きやすく居心地のよい環境をつくり出すデザインのことをいう。「バリアフリー」の考え方と共通し、シャンプーの容器についているギザギザの印やノンステップバスなどがこれにあたる。

【ロードプライシング】

　交通混雑の激しい都心部などに乗り入れる自動車に対して料金を課すことにより、その地域の交通量を抑制し、混雑緩和や大気汚染の改善を図ろうという施策。

【ワーク（・）ライフ（・）バランス】

　一人ひとりが希望するバランスで、仕事と仕事以外の生活の場でうまく調和を図り、どちらも充実させる生き方。または、それを実現させるための取り組み。

【AI（人工知能）】（▶P46〜47）

人間の頭脳と同じように言葉を理解したり、判断や推論、学習をしたりする、現在テクノロジーの領域で注目されている技術。

【APEC（アジア太平洋経済協力会議）】

1989年に発足した、太平洋を取り囲む21の国・地域が参加する経済協力の枠組み。

【AUKUS（オーカス）】（▶P44〜45）

2021年に発足した、アメリカ、イギリス、オーストラリアの3か国における、インド太平洋地域での安全保障の枠組み。

【BRICS（ブラジル〈B〉、ロシア〈R〉、インド〈I〉、中国〈C〉、南アフリカ共和国〈S〉）】

経済成長が著しいブラジル、ロシア、インド、中国、南アフリカの新興5か国をいう。5か国の英語の頭文字をとってこう呼ばれる。

【COP（締約国会議）】

1992年の地球サミットで採択された国連気候変動枠組条約における締約国会議などが有名。

【EV（電気自動車）】（▶P32〜33）

電気をエネルギー源とする自動車。走行時に二酸化炭素や窒素酸化物などの大気汚染の原因となる物質を排出しないなどの特徴を持つ。

【IOC（国際オリンピック委員会）】

夏季と冬季のオリンピックを主催する団体で、オリンピックに参加する各種国際スポーツ団体を統括する組織。本部はスイスのローザンヌ。

【LGBT（性的少数者〈セクシャルマイノリティ〉の総称）】

自分の性別に対する考えなどが多数派とは異なる人たちのこと。レズビアン、ゲイ、バイセクシャル、トランスジェンダーの英語の頭文字をとってこう呼ばれる。現在、LGBTの人権を尊重し、差別や偏見をなくすための取り組みが始まっている。

【NATO（北大西洋条約機構）】（▶P54〜55）

アメリカ・カナダとヨーロッパの国々でつくる軍事同盟。もともとはソ連（今のロシア）に対抗するために生まれた。1949年に12か国で発足、2023年4月にフィンランドが加盟し、31か国体制に。

【NPT（核拡散防止条約）】

核兵器の拡散を防ぐことを目的にした条約。核兵器保有国以外への核兵器の拡散を防止し、原子力の平和的利用のための協力を促進する。日本は1976年に批准。

【PKO（国連平和維持活動）】

国連の実施する平和維持活動。停戦合意成立後の紛争防止のため、停戦の監視、復興・復旧援助などの活動を行う。

【QUAD（クアッド）】（▶P44〜45）

日本、アメリカ、オーストラリア、インドの4国からなる、インド太平洋地域での安全保障や経済協力の枠組み。

【SDGs（持続可能な開発目標）】（▶P40〜41）

よりよい世界をめざす国際目標のことで、2015年の国連サミットで採択された。17のゴール（国際目標）、169のターゲット（達成基準）から構成されている。

【SNS（ソーシャル・ネットワーキング・サービス）】（▶P18〜19）

Social Networking Serviceの略。フェイスブックやX（旧ツイッター）、LINEなど、文章や写真、動画を友人・知人とシェアしたり、不特定多数の人に発信したりできる会員制サービス。

【TICAD（アフリカ開発会議）】

1993年に日本の主導で始めた、アフリカ諸国の社会、経済の持続的な発展をテーマとする国際会議。3年に一度行われ、次回は2025年に日本で開催予定。

【WFP（世界食糧計画）】

1961年に設置された国連機関。本部はイタリアのローマ。世界各地で食糧支援を行っており、飢餓対策などが評価され、2020年のノーベル平和賞に選ばれた。

【WHO（世界保健機関）】

保健衛生の分野での国際協力を目的として、1948年に設立された国連機関。病気撲滅に向けた取り組み、医療・医薬品の普及、災害時の緊急対策、人口問題の研究など、活動は多岐にわたる。例えば、2020年の新型コロナウイルスのような感染症が発生したとき、先頭に立ち世界的な対応を推し進める。本部はスイスのジュネーブ。

［写真・資料提供］　時事通信社　AFP＝時事　EPA＝時事
朝日新聞社/時事通信フォト　PA Images/時事通信フォト
Avalon/時事通信フォト　BIOSPHOTO/時事通信フォト
CNP/時事通信フォト　dpa/時事通信フォト
NASA/時事通信フォト　PIXTA

［参考文献］　日本国勢図会2023/24（矢野恒太記念会）
世界国勢図会2023/24（矢野恒太記念会）
日本のすがた2023（矢野恒太記念会）
朝日キーワード2024（朝日新聞出版）
新編地理資料2023（東京法令出版）
理科便覧（浜島書店）
新詳日本史（浜島書店）

（順不同）